달빛
한 스푼

달빛
한 스푼

인쇄일·2022. 6. 25.
발행일·2022. 6. 30.

지은이 | 이영숙
펴낸이 | 이형식
펴낸곳 | 도서출판 문학관
등록일자 | 1988. 1. 11
등록번호 | 제10-184호
주소 | 04089 서울시 마포구 독막로 28길 34
전화 | (02)718-6810, (02)717-0840
팩스 | (02)706-2225
E-mail | mhkbook@hanmail.net

값·12,000원

ISBN 978-89-7077-644-6    03810

# 달빛 한 스푼

이영숙 수필집

문학관books

컴퓨터에서 오래도록 잠자고 있던 작품들이
꺼내 달라고 아우성치는 소리에 용기를 냈다.
비록 별스럽지 않은 일상의 얘기들이지만
누군가에게는 타산지석이 될 것이라 믿고
3집을 펴낸 지 10년이 넘는 동안 쌓인
작품들을 모아 정리했다.

인터넷이 등장하면서 IT 혁명이 일어난 후로
끊임없이 진화하며 발전한 오늘이지만,
책 읽는 사람들은 줄어들었고
갈수록 전자책을 선호하고 있다.

지금은 종이책이 뒷걸음질치고 있다.

그렇다 해도 문학정신은 파멸시킬 수 없다.

그럴수록 더 예리하게 갈고 닦아야 한다.

작가의 길이 힘들어도 고집스러운 정신 하나로 버텨낸다.

어렵고 힘들 때는 다 걷어치우고 싶은 생각이 들다가도

보람을 느끼는 때가 더 많아 마음을 다잡는다.


늘 공부하는 자세로 쓴 작품 중에서 49편을 선별하여

네 번째 수필집 『달빛 한 스푼』을 독자 제위께 내어놓는다.


2022년 3월

동양옥東洋屋에서

채홍 이영숙

## | 차 례 |

# 3 달빛 한 스푼

# 4 가을장마

# 1

## 녹색 꿈을 꾸는 호박

녹색 꿈을
꾸는
호박

# 행운목

화분에 옮겨 심은 지 5년도 채 되지 않은 행운목에서 꽃이 피었다. 그것도 쌍둥이처럼 가지런히 두 개의 나무에서 하얀 꽃이 피어서 저녁마다 향기를 뿜어낸다. 그리고 사람을 홀린다. 향은 베란다에서 거실로 스멀스멀 날아들어 온다. 도둑놈처럼 들어와서 거실을 돌아다닌다.

며칠은 일부러 늦게 잠자리에 들곤 했다. 모양은 파꽃처럼 별스럽지 않으나 그 향은 향수 이상으로 진하다. 백합 향인 듯 아카시아 향인 듯, 하여간에 사람을 혼수상태에 빠지게 했다. 밤에 피는 꽃을 속된 말로 기생꽃이라 했다.

조선 시대 기생은 그야말로 남에게 기대어 살아가는 사람을 말하기보다 관청에서 여악과 의침에 있었다. 의녀로서 행세하여 약방기생 또는 침선 - 바느질로 이름을 날리기도 했지만, 행사 때 노래와 춤을 맡아 했다. 사회계급으로는 천민에 속하지만, 시와 글에 능한 교양인으로 대접받는 등 특이한 존재였다.

이런 기생꽃들은 밤에 움직이는 나방이나 박쥐들을 이용해 꽃가루받이하는 것으로 노란색이나 흰색이 많다. 주로 꽃의 색이 밝고 향기를 많이 내는 것이 특징이다. 현란한 꽃 색과 모양은 갖추었으되, 향이 없는 서양란처럼 그럴듯한 꽃도 많다.

은은한 향을 뽑아내는 동양란처럼 그들만의 차별화가 확실하다. 사람 사는 세상도 외모에 치중하다 보면 속이 찬 사람을 잃는 경우가 있다. 꽃을 평가할 때 너무 외형적인 것에 치우치지 않는 것도 꽃을 아끼는 사람이 한 번쯤 생각해볼 일이다.

같은 아파트에 사는 연세가 90이나 된 할머니가 스칠 적마다 향수가 은은히 풍긴다. 당연히 기분이 좋아진다. 으레 노인에게선 꾀지지한 냄새가 나거늘, 이 할머니는 워낙 부지런하여 샤워도 자주 하나 보다. 그래서 자꾸 말을 걸어 보게 된다. 생각도 젊은이 못지않게 긍정적이며 반듯하다. 보고 배울 것이 많은 노인이다.

쌍둥이 행운목 화분을 멱살 잡아 끙끙대며 거실로 끌고 들어와 앉혔다. 밤인 줄 알고 꽃잎을 열어 이 주인을 매료시 킨다. 핸드폰으로 꽃을 사진 찍어 친구들에게 보냈다. 향기 를 찍을 수 없음이 매우 유감이다. 한 열흘을 그렇게 나를 홀 리더니 마지막으로 꿀이 흘러내렸다. 밖에 있었으면 꿀벌들 이 와서 죽자 살자 덤벼들었을 것이다. 행운목에 꽃이 피면 좋은 일이 일어난다고 했다.

좋은 일이 따로 있으랴. 삼시 밥 잘 먹고 잠 잘 자면 이것이 행운이다. 나에게 딸린 직계 가족들이 다 무고하면 이것이 행복이고 다행이다.

꽃이 지고 난 후 힘들었을 나무에게 다시 나만의 밑거름을 더 해주었다. 까칠한 산모의 얼굴처럼 푸석해 보인다. 그래서 양분을 채워 주어야 한다. 고마움의 표시고 나무에 대한 예 의다.

# 녹색 꿈을 꾸는 호박

지난가을 시골 사는 먼 친척이 늙은 호박 한 덩이를 선물로 가져왔다. 작은 방에 그대로 있어서, 찹쌀가루 남겨둔 것이 생각나 죽을 쑤어볼 요량으로 몸통을 이리저리 굴려 살폈다. 겨울 동안 썩지는 않았을까 걱정이 되었다. 골이 진 곳에 허연 분이 퍼져있지만, 겉모양이나 빛깔로 보아 그대로인 것 같다. 하지만 배꼽 부분에서 손길이 멈췄다. 짓무른 듯이 상처가 만져졌다. 물엿 같은 물방울이 서너 군데 맺혀 있어 손톱으로 눌러보니 물컹한 느낌이 손끝에 와닿는다.

행주질을 말끔히 하여 칼로 반을 쭉 갈라 보았다. 맛깔스러운 노란색과 단 냄새가 온 부엌에 은은하게 풍겼다. 거뭇한 곳에 생각보다 속 멍이 많이 번져 있다. 씨를 긁어내어 신문

지에 펼쳐 널었다. 혹 다시 호박이 되어 만날 수 있을지도 모를 일이기에. 순간 움직이던 손이 움찔했다. 많은 씨 중에 두 개가 허연색의 싹이 되어 머리를 오그리고 있다. 껑충한 키에 뿌리까지 길게 나 있다. 신생아를 받아내는 산파처럼 조신하게 싹을 꺼냈다.

호박의 생명력에 경건하고 숙연한 마음이 든다. 어리디 어린싹은 손도 대지 못할 만치 가냘팠다. 호박이 속앓이하고 있을 때 배꼽을 통하여 바깥 공기가 왕래하고, 씨앗은 날숨을 쉬며 방안의 온기를 빌어 본능적으로 성장을 시도했나 보다.

호박 속의 축축한 습기와 바늘구멍만 한 틈새로 넘나드는 바람을 흡입하며 허리조차 바로 펼 수 없는 공간에서도 힘을 다해 햇빛을 원했으리라. 소우주 속에서 몸을 일으켜 발돋움을 시도한 부단함이 보인다. 어두운 구석방에서 때를 알고 기지개를 켠 그 작은 섭리를 어찌 신비롭지 않다 할 수 있을까.

별안간 부신 빛에 알몸이 된 어린싹은 살아갈 기미가 보이지 않았다. 어린싹의 파란 꿈을 파헤친 나의 손이 미웠으리라.

좀 늦은 감은 있으나 받아낸 다른 씨들을 넓은 화분에 살짝 묻어 주었다. 며칠 후 하얀 깍지의 모자를 쓴 떡잎들이 당당히 열 지어 올라왔다. 나의 게으른 배려를 골내지 않고 신명 나게 자라는 고것들이 당차 보인다.

호박은 비교적 비옥한 땅이 아니더라도, 손이 자주 가지 않아도 잘 자란다. 아무렇게나 씨앗을 내나 버리다시피 해도 제 혼자 힘으로 자라는 걸 볼라치면, 나약한 사람이 본받을만한 교훈이 된다. 그래서 그런지 호박은 많은 문학작품 속에 등장하기도 한다. 호박 예찬이 나올 만하다.

이런 자연계와 마찬가지로 우리네 삶도 평탄하지는 않은 법이어서 더러는 극한 상황에 놓일 때가 있다. 암흑 같은 나락으로 떨어지는 듯하다가도 다시 일어서곤 한다. 우리는 그처럼 무섭도록 아름다운 인내의 과정까지도 모두 다 진실한 삶의 모습으로 인정해야 한다.

봄은 굳이 말로 하지 않아도 그저 마음속으로 느끼고 바라보는 것만으로 신비롭기만 하다. '어둠에 휩싸일수록 작은 빛을 찾아라'고 한 김대규 선생님의 시 한 구절이 스쳐 간다.

# 나팔꽃과 부모님

여름이 마루턱 위로 훌쩍 올라선다는 칠월이다. 1년의 절반이 후딱 지나가고 남은 절반이 시작되는 달이다.

긴 플라스틱 화분에서 나팔꽃 모종이 어우러질 만큼 자라서 길게 뻗고 있다. 공중으로 머리를 들고 잘래잘래 흔들며 감길만한 곳을 찾고 있다. 덩굴들이 웃자라서 이리저리 땅으로 넘친다. 벽으로 기어오르려다 미끄러지곤 한다. 어린 팔들이 헛손질하길래 보다 못해 얼른 줄을 구해다 담벼락에 못을 치고 줄을 늘여 주었다. 햇고사리 같은 어린줄기들은 제 세상을 만난 듯이 도둑처럼 기어오르며 세상 구경을 시작한다. 좁은 잎들도 넓적 해져간다.

한약방에선 나팔꽃을 견우화牽牛花라고도 부른다. 꽃잎이

진 자리에 속속들이 들어앉은 검정 씨앗들은 견우자牽牛子라 하며, 부종이나 이뇨제로 쓰이고 있다. 나팔꽃의 다른 이름이 있다는 것이 재미있다. 덩굴이 한번 뻗어 올라가기 시작하면 아침과 저녁이 다르게 우북하다. 정말 '소가 끌고 가는 마차처럼' 쑥쑥 웃자리는 식물이다.

나팔꽃은 날이 밝음과 동시에 다문 잎을 벌리기 시작하여 해가 나오기만을 기다린다. 아침이 되어 햇살이 쫙 퍼질 때서야 다문 입을 열기 시작한다. 소담스러운 통꽃은 오전까지만 피어있는 부지런한 식물이다. 다만 꽃이 핀 날로 지고 말아 아쉽다. 한 줄기에서 피고 지고 하니 늘 피어있는 것 같다. 한 그루의 꽃에서 거둔 씨는 한 움큼이 될 만큼 많기도 하다.

사람 손을 조금만 움직이면 훨씬 좋은 분위기를 연출해 낼 수 있다. 꽃은 꽃대로 편안히 자리를 잡고 피기 시작한다.

단독주택에서의 여름 햇살은 아침부터 사정없이 방안을 열기의 도가니로 몰아넣는다. 그래서 조금이라도 덥지 않으려고 이리저리 그늘막을 만들게 된다. 줄을 늘여 창밖에 올리니 훌륭한 창 가리개의 역할을 한다. 아침마다 줄을 감아 올라가는 곰살맞은 나팔꽃을 바라보니 부모님 생각이 난다.

보드라운 꽃의 위 줄기엔 홍자색의 꽃이 철없는 아이처럼 피어서 웃고 있지만, 떡잎으로 시작된 심장 모양의 첫 이파리는 이미 가을이 닥쳤다. 가을날 은행잎은 정수리부터 단풍이 들지만, 나팔꽃 잎사귀는 정 반대다.

줄줄이 매달린 꽃들이 피었다가 지려면 아직도 많은 날이 남았건만 밑둥에선 몸살을 앓고 있다. 양쪽으로 갈라진 떡잎이 누렇게 탈색된 지 여러 날이다.

몸이 바짝 야위셨던 아버지를 생각나게 하여 가슴이 아리다. 가까운 나들이에도 힘겨워 밭은 숨을 몰아쉬시곤 했다. 어머니는 아버지를 홀로 두고 그리도 급히 저세상으로 가셨을까. 어머니가 밉기만 하다.

우리 어릴 적엔 두 분도 젊은 나팔꽃만큼이나 활기로 가득했다. 우리 형제들이 부모님의 양분을 야금야금 빼앗아 먹고 우뚝우뚝 자랐을 때는 이미 부모님은 빈 수수깡이 되셨다. 어떻게든 자식들만 잘 키우려는 일념 하나로 사셨던 분들이다. 특히나 어머니는 남다르게 자식에 대한 애착이 강했다.

어머니가 들려주던 전설 같은 이야기가 생각난다. 어머니 나이 여덟 살 때 외할아버지 외할머니를 한 달 간격으로 여의고 큰외숙모의 손에서 자라셨다고 여러 번 얘기해 주셨다. 이야기 끝에는 언제나 눈가에 이슬이 맺히곤 하셨다. 어린 시누이 시동생을 길러내신 외숙모도 여간한 고생이 아니었을 것이다.

그런 어머니의 어린 시절에 부모님의 정이 얼마나 그리웠을까. 상상만 해도 가슴이 미어진다. 그래서인지 유독 자식에 대한 사랑과 집착이 대단하셨던 것 같다. 우리네 부모님들이 다 그러하듯이 자식의 안녕만을 소원하며 자식 위하는 일이라면 뼈가 부시지도록 몸을 아끼지 않으셨다. 속담에 '자식은 부모의 생명을 파먹고 자란다'고 하지 않던가.

내가 자식을 낳아 기르며 자잘한 일상들을 챙겨주고 맘 써주다 보니 부모가 된 지금에 와서야 깨닫는다. 어머니 아버지께서는 마음이나 물질을 모두 자식들에게 내어주고는 얼마나 허전해하셨을까.

하늘로만 향하던 저 나팔꽃의 줄기도 여름의 끄트머리에선 그 힘이 부치는지 물을 자주 주어도 이내 시드럭해진다. 땅속의 양분이 동이 난 듯하다. 마른 나뭇단처럼 야위신 아버지 같이 푸석해 보인다. 부모님은 우리의 바탕이 되어서 귀를 열어주시고 눈뜨게 해 주셨다. 이제 우리 형제들도 막내까지 모두 자리를 잡아 잘 살아가고 있다. 부모님의 보살핌 없이도.

나팔꽃은 곤충이나 바람의 도움 없이도 자신의 힘으로 '자화 수분'해서 꽃을 피워 내니 참으로 신기한 꽃이다. 붉은 홍자색의 나팔꽃은 새벽에 꽃을 준비하고 아침에 활짝 피었다가 해가 떠오른 오후엔 서서히 시들기 시작한다. 그래서일까

서양에선 '모닝글로리아'라 부른다. 충실한 삶을 마무리하며 하루를 하직한다.

우리 형제들도 이제는 제 할일을 알아서 세상의 무대에서 살아내야 한다. 부모님은 가셨지만, 몸소 우리에게 모두 가르쳐 주시고 떠나셨다.

# 분꽃은 야행성

봄이 되면 어떤 씨앗이라도 뿌리고 싶은 농사꾼의 본능이 살아난다. 지난해 뚝방길을 걷다가 받아온 분꽃 씨를 서랍에 잘 모셔 놓은 것이 생각나서, 서랍 속의 염소 똥만 한 분꽃 씨를 큰 화분에 묻었다. 시원찮은 어린싹이 시드럭했지만, 살아날 것 같은 예감에 포기하지 않고 주기적으로 물을 주었다. 햇빛과 바람, 물 삼박자가 맞았던지 고물고물 그 기상을 보였다.

내가 알고 있는 분꽃은 색깔이 여간 예쁜 게 아니다. 빨간색, 분홍색, 노란색, 흰색, 여러 가지 색이 섞여 있는 종합색도 있어 좋아하게 된다.

원산지가 칠레라서 여기까지 어떤 경로로 퍼지게 되었는지 궁금하다. 한해살이 식물로 꽃말이 그럴듯하다. 수줍음 그런데 더 사랑스러운 것은 야행성이라 밤에만 핀다. 다른 꽃들은 햇빛이 쨍쨍한 낮에 피어서 자기를 보아 달라고 다툼을 하지만, 분꽃은 왜 낮엔 오므렸다가 밤에만 몰래 피는 것일까. 낮에 사느라 힘들었을 가족을 위해 활짝 웃어 준다.

저세상으로 가신 우리 엄마도 분꽃을 많이 좋아하셨다. 드넓은 바깥마당 끝에 여러 포기를 심어 놓고 예쁘다며 즐기셨다. 아무리 물이 귀해도 자숫물 한 옹배기 떠서 찔끄덕 부어 주면 그저 좋다고 소리 없는 환호성을 질렀다.

그 바쁜 농사일 속에서도 유난히도 꽃을 사랑하셨던 엄마, 땅따먹기하는 계집애 같은 채송화, 귀부인 같은 보라 나팔꽃과 분꽃만 보면 '엄마꽃'이라고도 하고, 또 저녁 밥때 핀다고 하여 '밥꽃'이라고도 했다.

낮에는 무엇이 부끄러워 입을 꼭 다문 채 있다가 빨갛게 저녁노을이 지고 땅거미가 내리면 피어 매혹적인 향을 뿌리는지, 그 맑은 빛깔과 엄마 분 냄새 같은 향은 어린 나의 마음을 사로잡았다.

우리집 베란다의 화분에서 자라는 분꽃은 꺽다리가 되어 위로 쑥쑥 올라가더니만 이 주인에게 예쁨을 받기 시작했다. 야생화를 집에서 키운다는 것은 큰 실험이다. 물주고 공들인 것을 보답하듯이 밤이면 밤마다 빨강 나팔을 만들어 자태를 뽐낸다. 술 한잔 걸친 한량처럼 불콰한 얼굴을 하고 일제히 웃는다. 여러 송이가 다닥다닥하게 피어서 임무를 다한다. 다른 음지 식물들을 압도한다.

분꽃은 나처럼 야행성이다. 밤에 피는 꽃들은 낮에 놀고 밤에 임무를 다한다. '게으른 놈이 저녁때 바쁘다'고 늦게 잠자리에 드는 나에게 진풍경을 보여준다. 야행성인 꽃들은 어떻게 씨를 퍼트릴까. 동물인 나방이나 쥐, 박쥐 등을 이용하여 꽃가루받이 하는 것으로 알고 있다. 낮에 피는 꽃은 벌과 나비 동물들의 힘을 빌린다. 주로 꽃 색이 밝고 향기를 내는 것이 특징이다.

나는 꿀벌을 상당히 무서워한다. 작은 벌이 와서 맴돌면 저만치 달아난다. 그런데 벌의 성격을 알면 덜 무섭다. 도망가면 끝까지 쫓아온다. 몸에 뿌린 향수 냄새를 맡고 꽃인 줄 알고 꿀을 물어 가려는 속셈이다.

그러나 벌이 없으면 인류가 망한다고까지 한다. 꿀벌이 꿀 사냥을 위해 하루 외출하면 천 송이의 꽃을 탐색한다니 얼마나 부지런한 생물인가.

지구상에 벌이 사라지면 인류는 5년 내로 멸종할 것이라며 경고를 한다. 농사꾼에게 일하면서 어떤 일이 가장 어려우냐고 물어보면 비닐하우스 속에서 호박꽃에 수분하는 일이라고 한다. 꿀벌이 하는 일을 사람이 붓을 들고 일일이 수정해야 한다는 것은 쉬운 일이 아니다.

벌은 인간에게 참말로 고마운 생물이다. 이꽃 저꽃 다니며 수분을 해 주니 얼마나 고맙고 유익한 생물인가. 사람에게 이로운 꿀을 물어다 주는 벌을 무서워할 일이 아니다. 종자식물에서 수술의 화분이 암술머리에 붙이는 가루받이라고 한다.

밤새도록 무슨 사연이 있어서 까만 씨를 저토록 저마다 많이 머금고 있을까. 어른들은 꽃이 지고 나면 분꽃 씨에서 하얀 가루를 꺼내어 가루분을 만들었다. 그래서 분꽃이라 한다.

옛날 할머니들은 까만 씨에서 하얀 가루를 발라내어 얼굴에 발랐다고 한다. 신기하지 않을 수 없다. 벌이 왔다 간 것도 아니고 수분해 준 적도 없다. 밤만 되면 온 힘을 다해 혼자 타오르고 있다가 다음 아침녘에 혼자 시들어진다.

미세먼지가 답답하게 지독한 낮에 분꽃도 분간이 안 가는지 어둑어둑한 날 꽃을 피워서 나를 당황케 했다. 날씨가 미치더니 식물도 어쩔 수가 없나 보다. 분꽃도 피고 나서 이상했던지 계면쩍은 얼굴을 한다.

북풍한설 몰아치는 12월까지 시원찮게 피어서 저녁마다 나 좀 봐 달라고 거실 쪽으로 고갤 내밀고 서 있다. 울 엄마처럼 말없이 명랑하고 조신하게 웃고 있다. 눈을 호강시키고 맘을 안정시키는 분꽃, 자화 수분하여 오래도록 피고 지고를 반복하고 있는 분꽃이 사랑스럽다.

# 메타세쿼이아

우리 아파트 건너편의 뉴타운삼호맨션아파트가 재건축에 들어갔다. 관악산 자락에 자리 잡고 있던 이천 세대가 넘는 18개 동이 움직이느라 이삿짐 나르는 사다리차 소리가 연일 이어지고 있다.

81년대에 이곳으로 이사 온 사람들은 아주 가난한 서민이 아니었다. 뒤쪽으로 산이 있고 앞으로는 사시사철 물이 흐르는 안양천이 있어 요산요수樂山樂水로 말 그대로 산과 물이 있다 하여 명당이라 일렀다.

맨손으로 이사 와서 살아도 될 만큼 시설이 그럴듯했으나, 40년이 다 된 아파트는 점점 살기 불편한 집이 되었다. 수도 배관이 오래되어 녹물이 나오고 좁은 하수구가 잘 막히고

점점 불편해지니, 2012년 정비구역지정 재건축 얘기가 나온 지가 10년이 되었다.

지금은 몇 집 남아서 투쟁하는 사람 빼고는 모두 거처를 옮겼다. 밖에서 보는 나로서 가장 아까운 것은 가로수로 심은 기골이 장대한 메타세쿼이아와 눈보라 치는 봄날부터 꽃봉오리를 만들며 봄 마중을 하는 하얀 목련나무다. 그 목련 꽃은 내게 시를 한 편 읊조리게 했다.

재건축 업자들이 메타세쿼이아며 하얀 목련화를 함부로 다룰 것 같은 예감 때문에 마음이 시리다. 메타세쿼이아는 남이섬에 심겨진 나무만큼 우뚝한 장정이다. 가을만 되면 빨간색 나뭇잎을 발등에 떨어뜨려 나도 단풍나무! 하고 소리 낼 것 같다.

이 나무들이 죽임을 당하지 않고 환생하여 모든 이의 사랑을 받길 원한다. 초록이 지친 자리에 단풍들이 잔치를 벌이는 가을이 왔다. 나뭇잎들의 기개가 그 힘이 다했는지, 차츰 엽록소가 줄어들어 노란빛이나 붉은빛으로 얼굴을 바꾼다.

사월부터 서슬 퍼런 잎들은 성하의 계절을 지나와 마지막 길을 택하고 있는 것이다. 그중에서도 공원이나 풍치지구에 일렬로 서 있는 '메타세쿼이아'는 모범생처럼 자세가 반듯하니 흐트러짐이 없다.

메타세쿼이아를 올려다보고 있노라면 금자탑이 연상된다. 금자탑은 후세에까지 빛날 만큼 훌륭한 업적을 이루었을 때 여러 층으로 높이 세워 만든 건축물이다.

대개의 침엽수들은 잎이 바늘같이 가늘고 끝이 뾰족하니 사철 푸르지만, 이 나뭇잎만은 가을에 단풍이 든다. 녹색이 변하여 은은한 황톳빛을 내고 있다. 그러니 여름엔 여름대로 사철나무들과 어깨를 겨루어 위엄이 있어 보이고, 가을엔 활엽수와 더불어 단풍잔치에 슬며시 끼어드니 다정한 친구 같다.

산에 서 있는 나무들이 팔을 민주적으로 자유분방하게 이리저리 뻗어서 질서를 문란하게 하고 있다면, 메타세쿼이아는 일률적으로 꼿꼿하니 군주적인 분위기를 보여준다. 몸을 옆으로 기울이거나 팔을 내둘러서 옆의 나무에게 무례함을 저지르지 않는다.

중국의 동북지방이 친정이고 꺾꽂이로도 번식률이 높아 은행나무와 함께한 지구상의 살아있는 화석이기도 하다.

공룡시대부터 살아온 생명력이 강한 의젓한 이 나무는 가을에 더 운치가 있다. 가을엔 나무들이 나름대로 개성이 있지만, 메타세쿼이아만큼 기골이 장대하고 귀공자 상을 한 나무는 일찍이 없는 듯하다.

가을에는 낯빛을 바꿔 다른 나무들과 일치하는 메타세쿼이아는 자연의 금자탑이며 피라미드다. 모든 이들이 떠나고 나면 이 황망한 벌판을 어찌 바라볼까. 사진작가라면 여러 컷을 남기고 싶다.

봄이면 벚꽃이 만발하여 아파트 대단지 옆에 살아도 너무 좋았다. 이제 모든 것을 여의고 나면 4년 후에나 새로운 모습을 볼 것이다. 어쨌든 난 뉴타운삼호맨션아파트를 여의고 몇 날은 아파할 것이다.

뉴타운삼호아파트 이주 공가율이 90%까지 진행되고 있다. 오래 사셨던 분들은 아쉬움을 뒤로 하고 보금자리를 내어 주고 있다. 동아상가부지를 매입하여 관악대로에 연결하여 접근성이 향상되고 있다. 재건축은 지하 3층 지상 31층으로 28개 동으로 건설 예정이고, 시공사는 현대산업개발과 코오롱글로벌로 2,618세대에 조합원 수 2,060명 예정이란다.

종합운동장 사거리에 지하철(월곶과 판교선)이 들어선다고 의싸의싸한다. 나 홀로인 우리 아파트도 덕을 보리라!

# 분홍 목화木花

시퍼런 목화 다래 따 먹던 시절이 아련하다. 어린 목화 다래의 그 달달한 맛은 나만이 아는 비밀이다. 꽃이 피기 전의 목화 다래는 그냥 요깃거리였다. 산에서 나는 으름과 비슷하나 좀 더 크다.

하굣길에 목화의 장관을 보려고 일부러 에둘러 밭길로 들어섰다. 가을이 되면 먹을거리가 꽤 되었다. 밭둑에 무성히 자라고 있는, 사람들이 밟고 지나갔을 지장풀도 요깃거리였다. 그야말로 가을 벌판은 먹을거리가 무한히 많았다.

김장밭머리에 다가서면 위로 솟은 무의 연둣빛이 침을 괴게 했다. 그중의 한 뿌리를 뽑아 엄지손톱으로 돌돌 벗겨 바로 먹었다. 무 먹고 트림이 없으면 인삼보다 효과가 크다고 했다. 이렇듯 '가을 벌판은 어설픈 친정보다 낫다'고 했다.

동네 사람들은 주식인 쌀이 모자라 봄만 되면 춘궁기에 시달렸다. 하곡인 보리가 여물지 않은 상태에서 지난해 가을에 걷은 식량이 다 떨어져 굶주릴 수밖에 없게 되던 5월쯤 보릿고개를 이겨내던 때가 있었다.

초근목피로 연명을 하다 가을 벼 베기가 시작되면, 도지 주고 세금 내고 아이들 학비 대느라 얻어 쓴 차입금 주고 나면 또다시 어렵게 살곤 했다. 크게 부자로 살지 않았다면 1940년대 생들은 다 알리라. 지난한 생활들이었음을.

오죽하면 대중가요 〈보릿고개〉가 히트 쳤을까.

지금 생각하니 밖에서 해결했던 간식들은 모두 건강식이었다. 목화 다래, 지장풀, 무 등등. 지금 새싹보리가 다시 유행이다. 화분에 길러 새싹을 잘라 믹서에 갈아서 마시면 면역과 염증에 좋다고 한다. 해보니 엄청 번거로웠다. 현대인들은 몸에 좋다 하면 바로 행동에 들어간다. 해 먹고야 만다.

봄에 파종한 목화는 가을 서리가 내리기 시작하기 전에 거두어들인다. 그 이전엔 무명옷은 없는 사람이 해 입었지만, 지금은 면옷은 사기가 어렵다. 구입한다 해도 100% 순면을 만나기는 쉽지 않다. 공장에서 천을 짤 때 나일론이 조금 섞어서 나오기 때문이다. 그래야 더 질기고 실용적이다.

목화는 씨앗을 일일이 하나씩 손으로 빼내는 작업을 거친다. 섬유는 실을 뽑는 간단한 재래식 기구인 물레를 썼다. 할머니는 너무나 진지한 표정으로 일을 하셔서 나는 더 호기심이 생겼다. 나도 해보겠다고 설레발치면 느릿한 충청도 사투리로 저쪽으로 가. '물러 꺼, 이어 꺼' 하셨다.

그렇게 어깨너머로 길쌈하는 과정을 눈여겨보곤 했다. 우리가 중히 여기는 코튼 100%의 소창은 동생들이 세상에 나오면 기저귀 소창으로 만들어 썼다. 그리고 광목은 투박하지만, 천연옷감이 되는 것이다.

명주, 모시, 삼베 종류도 다양하다. 명주 빼고 모두 나무껍질로 옷감을 만드니 알레르기 피부병이 생길 리가 없다. 아무래도 화학섬유는 다루기가 쉽지만, 아기들의 피부에 아토피를 면할 수 없다.

누에는 어린누에를 소나무 가지 섶에 올려 자리를 만들어준다. 뽕잎을 잘게 채 썰어 살포시 얹어주면 사그락사그락 뽕잎을 갉아 먹는다. 그렇게 누에와 한 방 안에서 자야만 했다. 누에처럼 잘 자라는 생물도 드물다.

농촌에선 1년에 두 번 봄가을로 하니 부업거리로 짭짤했다. 누에가 고치로 약 60시간이면 2.5g이고, 한 개의 고치에서 풀려나오는 실의 길이가 1,200~1,500m나 된다. 약 70시간 지나면 고치 속의 번데기가 되며, 그 뒤 15일 정도 되면 나방이 된다.

고치 속의 나방은 알칼리성 용액을 토해내어 한쪽을 적셔 부드럽게 하여 뚫고 나온다. 고치에서 나온 암수가 교미 후 약 500~600개의 알을 낳고 죽는다.

어머니는 명주실을 뽑기 위해 양은솥에 물을 끓이며 작은 물레로 실을 뽑고, 나는 번데기를 꺼내어 먹었다. 그렇게 실크 옷감인 고급원단이 나온다.

지금도 시장에 가면 고기를 싫어하는 난 번데기를 집어 든다. 단백질 공급 차원에서. 그런데 옛날 그 고소한 맛이 아니다.

누에는 키우는 법만 잘 지키면 실패하지 않는다. 절대로 뽕잎에 농약을 치면 아니 된다. 뽕잎차, 뽕잎나물 모두 자연식품이다. 그리고 연구 중인 건강식품도 다량 있다고 한다.

모시나 삼베도 밭에 키우고 손이 많이 간다. 목화와는 다르게 키가 두 길은 된다.

추운 겨울 실크 목도리를 두르고 외출하면 따듯하다. 애벌레로 있을 때 차가운 성질이던 것이 몸에서 뽑아낸 비단은 이리도 따듯하니 신비롭다.

# 제라늄

양지바른 남향집, 우리집 베란다에는 제라늄이 사시사철 꽃을 피운다. 물, 공기, 햇빛의 삼박자가 맞아떨어지나 보다. 온종일 햇빛이 재재거리니 제라늄이 터를 잡고 살아가기가 좋은 모양이다. 껑쭝한 키, 마디가 꽤나 굵어졌다. 피고 지기를 연속이다.

봄에도, 동짓달에도 환하게 피어서 벙글거리며 집의 분위기를 업시켜 준다. 계절이 바뀔 때마다 화초 비료를 주었더니 이렇게 출산을 하고 또 한다. 양아욱 제라늄은 아이 잘 낳는 여인네와 같다.

이 시대 다둥이 엄마는 모든 이의 환영을 받고 있다. 정부에서도 보조금을 주며 대접해 준다. 여가수 김 모씨도 왕성

한 활동을 하면서도 슬하에 4남매를 낳아 키우고 있다. 인기 가수의 자리 지키기도 벅차건만, 아무리 시어머니가 돌봐준다 해도 용기가 대단하다.

그 옛날엔 보통 아홉 명씩은 생산했다. 우리 형제도 여섯이니 되니 엄미는 나이 드시며 관절이 아프다고 호소하시곤 했다. 아이 키우랴 농사지으랴 몸을 혹사당하신 거다.

지금 우리나라 인구는 오천일백팔십만여 명이 넘는다. 출산율이 사망률 따라잡기가 어려운가 보다. 산부인과는 사양길로 접어든 것일까.

농경사회선 자식을 많이 낳아야 부자다. 그때는 인력이 자원이었다. 특히나 아들은 농사에 참여하는 일꾼이니, 그저 아들 낳기를 성황당에라도 빌고 빌었다.

요즘 처자들은 아예 결혼을 포기하면서, 강아지는 잘도 기른다. 결혼 후 아일 낳는다 해도 하나만 두는 사람이 많다. 강아지를 포대기에 업고 다니질 않나, 안고 다니는 건 흉이 되지 않는 시대가 되었다. 유모차에 태워 밀고 다닌다.

길을 가다 임신한 여인을 보면 참으로 예쁜 애국자 같다. 사망률보다 신생아 출산율이 낮아 안타깝기만 하다.

병으로, 사고로, 생활고로, 자살로, 노인이 세상을 하직하는 건 자연의 이치지만, 젊은이가 제명을 다하지 못하고 목숨을 포기하는 건 아닌 것 같다. 이 세상에 태어나는 거는 어떤 인연 따라왔지만, 갈 때는 함부로 해서는 안 되는 것이 목숨이다.

제라늄을 보노라면 참으로 생명력이 강하다는 생각이다. 비록 현란한 향은 없어도 꽃눈을 비집고 나올 때마다 앙증스럽다. 껑쭝한 키가 다이어트하는 여인네처럼 날씬하다. 약한 몸에 꽃을 줄줄이 달고 서서 물을 많이 주기를 원한다.

키우기도 쉽다. 우선 물이 잘 공급되어야 하고, 공기가 항상 통해야 된다. 그리고 햇빛이 절대 필요하다. 3요소만 갖추면 신나게 자란다. 제라늄 키우기가 재미있는 것은 꽃을 오래 볼 수 있다는 것이다. 피고 지고를 연신이다. 꽃을 피우고 질라치면 다른 가지가 올라온다.

마치 자라나는 형제들끼리 부모에게 예쁜 모습으로 재롱을 피우는 것과 같다. 형제는 많아야 한다는 것을 이제야 알았다. 이웃집 초상집을 가게 되었다. 달랑 혼자서 큰일을 치르니 딱해 보였다. 부모로부터 물려받은 게 형제다. 가장 먼저 사회를 아는 것이 형제로부터 시작된다. 또 하나 경쟁자가 되는 것도 형제라 하지 않던가. 정말로 부모님은 훌륭한 선물을 주신 것이다.

햇빛이 재재거리는 겨울 테마루 추녀 끝에 앉아, 군고구마

하나라도 더 먹겠다고 얼굴이 재강아지가 되어 까르르 웃던 우리 육 남매가 모두 일가를 이루고 반듯하게 살아가는 것을 보면 대견하다. 작은 등에 업어 키운 동생들이다. 지금은 안 계신 부모님, 고맙습니다 하고 혼잣말을 해본다.

그리고 더 대견한 것은 부모님 저세상 가시던 날, 동생댁이 품앗이를 많이 해놓아 어머니 때도 아버지 때도 삼일장을 거뜬히 해낼 때 많이 고마웠다. 이제야 표현해 본다.

다행히도 우리 2세들은 둘 다 자녀를 둘씩 낳아 키우고 있다. 모두 자연분만을 하고 모유 수유를 하여 신통하다. 명절이나 생일 때 모이면 거실로 가득하다. 아이들이 커 나면서 점점 거실이 좁아지고 있다.

오늘따라 무수히 꽃을 피워낸 저 제라늄이 더 예뻐 보인다. 벽에 걸린 다단계 같은 열 명의 식구 사진을 들여다보니 흐뭇하다. 내가 다 퍼트린 식구들이다. 이제부터는 내 건강만 잘 지키면 아무 탈이 없는 집이다. 사시사철 피고 지는 제라늄을 보는 것처럼 즐겁고 행복하다.

# 능소화

꽃은 목화가 제일이라는 속담이 있다. 겉모양은 별스럽지 않지만, 실속만 있으면 그만이라는 뜻일 것이다. 목화는 아침에 슬며시 피었다가 햇살이 퍼지면서 헤벌어진 입을 다문다.

그렇게 기력 없는 꽃잎과는 달리 내실 있는 열매의 솜꽃은 아름답기 그지없다. 한낮의 뜨거운 빛을 싫어하는 목화보다는, 해바라기만큼이나 해를 좋아하는 여름꽃인 능소화를 가장 화려한 꽃으로 추천하고 싶다.

우리 꽃은 아니지만 줄기의 길이가 사람의 키 다섯 배 이상이나 되는 걸로 보아 끈질긴 생명력에 찬사가 터져 나온다. 겹꽃잎의 넓은 깔때기 모양이 '불콰'한 색을 띠며 길고 긴 줄기마다에 다닥다닥 피어 자태를 뽐낸다. 야산의 무덤가에 만개해 더 화사해 보이는 환한 꽃을 우리집 대문 옆에 옮겨 심고 싶다.

메꽃, 나팔꽃, 분꽃들이 햇빛에는 초절임이 되어 맥을 못 추나 능소화는 뜨거운 여름에도 도도하게 잎을 접지 않는다. 그런 고운 빛깔의 꽃이 혼자의 힘으로는 서 있지 못한다. 긴 줄기를 어디에라도 기대어 감고 올라가야 하는 '기생꽃'이다.

능소화를 보노라면 부모에게 기대어 살아가는 젊은이들이 떠오른다. 예전 같으면 출가하거나 분가해서 애 두엇은 낳아 기를 나이인데, 나이 삼사십 세가 다 되도록 가정 이룰 생각은 안 하고 독신을 고집하며 살아가는 신세대가 늘고 있다. 경제적으로나 정신적으로 불편한 것이 없게 뒤치다꺼리해 주는 부모를 믿고 자립할 생각을 안 하는 것인가.

신세대들은 대학 생활도 길게 한다. 전공이 맘에 안 든다느니, 적성에 안 맞는다고 편입하기를 자유자재로 하며 자격증도 여러 개 소지하는 것은 기본이다. 해외연수도 필수라고 한다. 직장에 다니며 자기 계발이나 취미생활로 세월을 축내고 있다.

우리의 2세가 능소화처럼 기대어 살아가려는 습성을 갖게 된 것은 부모의 책임도 있다. 홀로서기 하도록 강하게 밀어내지 못하고 자식을 상전으로 떠받들다시피 한 결과다.

60년대에 우리나라의 경제 사정은 그리 좋지 않았다. 앞도 보이지 않는 탄광과 낯선 병실에서 구슬땀 흘린 파독 광부와 간호사들이 있었기에 이만큼 살게 되지 않았을까. 그렇게 일 궈놓은 경제 반석 위에서 부족함 없이 살아가고 있다.

어른들도 사람의 정이 그리운지 늦둥이 바람이 불고, 애완견을 자식처럼 키운다. 다 큰 자식 결혼시켜 독립시킬 생각에는 느긋하다. 자식들이 배우자를 만나 결혼하더라도 맞벌이를 한다면 다시 보살펴 주어야 한다. 밑반찬 만들어 나르는 일이며 손자, 손녀까지 맡아야 할 경우도 있다. 자식 사랑은 끝이 없다. 하지만 노년에까지 굴레에 얽매인다는 것은 감옥이다. 재미 삼아 하기에는 너무 힘에 겨운 작업이다.

능소화가 어린 소나무의 허리를 칭칭 감고 돌아 나무의 순까지 점령해 목을 누르고, 그것도 모자라 더 감길만한 곳을 찾느라 하늘을 향해 헛손질을 해댄다. 능소화가 소나무를 휘감아 올라가 자태를 뽐낼 때, 솔잎은 제 몰골이 아니다. 죽을 것처럼 노랗게 질려 있다.

한해살이 식물인 작달막한 목화는 버거운 다래를 매달고도 홀로 서 있는 강단을 보여주지만, 능소화는 홀로서기가 버거워 옆의 나무를 의지하지 않고는 길게 벋어 고운 꽃을 피우지 못한다. 능청스러운 저 능소화는 우리 주변의 신세대

모습이다.

능소화가 제 혼자의 힘으로 몸을 추스르며 고운 모습을 자아낸다면 얼마나 아름다울까. 중국 미인같이 화려한 능소화를 그래도 미워할 수는 없다. 하는 짓이 밉다고 미워할 수 없는 부모와 자식의 관계처럼, 미워도 떠나보내기 싫은 자식이다. 미워도 꺾어 버릴 수 없는 저 화사한 능소화처럼!

# 2

맨드라미꽃과 어머니

# 맨드라미꽃과
어머니

# 송화다식

정월 초하루가 코앞으로 다가왔다. 그래서 올해는 무엇을 해서 식구들 입을 즐겁게 할 수 있을까에 돌입했다. 차례는 서울 큰형님이 맡아 하니 우리 가족만 책임지면 된다. 이 많은 숫자가 가서 야단법석을 피우지 않고 조촐하게 지내려 한다.

대충 메뉴를 정해 본다. 떡국이 가장 만만하다. 전은 기본으로 하고 나물도 서너 가지로 메모해 봤다. 후식을 고민하다가 올해는 송화다식을 생각해본다. 노란 빛깔의 송화다식이 입맛을 돋운다.

지난해 수덕사에 갔다가 다식판 사다 놓은 것을 부려 보기로 했다. 송홧松花가루가 건강식품이라 좀 비쌌다. 1,200g에

삼만이천 원이었다. 입이 딱 벌어졌다.

송홧가루는 소나무꽃이 피기 전, 봉오리가 터지기 전에 채취하여야 얻을 수 있는 가루다. 시기를 잘 맞춰야 한다. 꽃이 활짝 핀 다음엔 이미 가루가 땅에 떨어지면 아니 된다. 모든 농사일이 그렇고, 무엇이든 때가 있는 법이다. 너무 일찍 따도 가루가 덜 나온다.

인자한 할머니와 5월쯤 뒷산에 올라가면 새로 움이 튼 가지에 실한 꽃이 피었었다. 할머니 댁 바로 아래에 우리집이라서 늘 큰댁에 가서 놀던 기억이 날 따라다닌다. 아버지는 할머니의 3남 1녀 중 막내아들이고, 난 아버지의 맏딸이다. 언제나 할머니의 귀여움을 받으며 성장했다. '고년 손끝도 여물어라' 하며 칭찬이 넘쳐났다. 사촌 언니들의 시샘을 받을 만큼.

할머니는 막내아들이 살아가는 것이 곤곤하진 않은지 늘 애처롭게 바라보셨다. 마을에 잔칫집이라도 다녀오시면 눈물수건에 인절미 몇 개 과줄 몇 개라도 싸오셔서 내게 주시곤 했다. 아무렇지 않게 받아먹었다. 성의를 봐서라도 마다하지 못했다.

10월 시제일엔 봄에 만들어놓은 송홧가루로 다식도 만들고 거하게 차렸다. 다식 만드는 법도 일찍이 배운 셈이다. 노란빛 가루에 꿀물을 가만가만 부어가며 조절해 나갔다. 부여 '띄울' 마을이 친정이신 할머니에겐 배울 점이 많았다. 할머니는 마을의 훈장이신 시아버님을 모셨기에 부엌일도 딸그락 소리 한 번 내지 않고도 밥을 해내시는 조용한 분이었다.

송홧가루에는 강력한 항산화 물질이 들어있어, 세포 노화와 괴사를 줄여준다. 소나무는 인류에게 이로움만 주는 나무다. 다만 산 깊숙이 서 있는 나무래야 맘 놓고 먹을 수 있다.

이른 봄 '나는 자연인이다'에서 솔잎청 담그는 것을 보여주었다. 솔잎을 따서 요구르트에 섞어 믹서에 갈아 마시기도 했다. 그리고 요즘 송화 버섯이 쏟아져 나오고 있다. 소나무는 알면 알수록 그 효능과 쓰임새가 엄청난 나무란 걸 알 수 있다. 또 소나무 뿌리에서 기생하는 백복령도 비타민A가 풍부하다.

그 옛날 송진을 따다 불쏘시개로 썼다. 그래서 그런지 청솔 가지는 아궁이에서도 잘 타는 땔감이었다. 땔감이 되었던 솔방울은 이제는 자연식 가습기 노릇을 해 준다. 입을 꼭 다문 물먹은 솔방울을 쟁반에 앉혀 거실에 놓아두면, 건조한 습도를 조절한다. 아침에 보면 헤벌죽하게 모두 아가리를 벌리고 있다.

새로 입주가 시작된 래미안아파트에 제법 큰 금강송을 식재해 아파트를 가꾸고 있다. 죽이지 않고 잘 살릴까. 의문이 생긴다.

명절 일주일 앞두고 딸과 거실에 앉아 노란 송화다식과 볶은 찹쌀가루로 하얀 다식을 만들어 보았다. 사내 녀석들도 달려들어 떡 주무르듯 법석을 한다. 그래도 괜찮다. 저희 입에 들어갈 것이니 체험학습을 시킨 셈 친다.

다식판에 랩을 깔고 송화 반죽을 꼭꼭 눌러 모양을 낸다. 다시 랩으로 덮으니 빛깔 좋은 송화다식이 완성되었다. 다식을 하나 입에 넣어 보니 홍성의 맛이 그대로다. 너무나 색이 예뻐 먹기가 아깝다.

송홧가루는 참으로 귀한 가루다. 봉오리 하나하나 모아 떨어야 얼마 되지 않아 인내심을 발휘해야 했다. 잊혀가는 우리 전통 과자를 만들어 보는 뜻깊은 정월이었다. 한 해의 첫 달인 음력 1월 1일은 우리나라 고유 명절이다. 고려 시대부터 내려오는 큰 명절로 여겨오고 있다. 아낙들이 바쁜 명절임엔 틀림없다.

# 맨드라미꽃과 어머니

칠월의 꽃 맨드라미가 수탉의 벼슬을 닮았다 하여 계관화라 부른다. 그리고 양반집에서나 기르던 꽃이라고 한다. 깊어가는 가을의 계절까지 왔는데 맨드라미는 시들지 않고 피어있다. 건조에 강하므로 물을 자주 주지 않아도 된다.

딸아이가 추석이라고 금일봉과 궁잔기지떡을 한 박스 사왔다. 요즘에는 자주 손이 가지 않고 먹을 수 있게 한입 크기로 만들었다. 둥그런 떡 속에는 팥소가 들어있어 달달한 맛에 손이 자주 간다. 옛날에는 네모 모양으로 큼직하게 만들어서 손으로 떼먹든가 칼로 썰어 먹었다.

모든 불편함을 이 떡집에서는 개발한 것이다. 기지떡은 기주떡, 기정떡, 증편, 술떡, 벙거지떡으로 지방마다 다 다르다.

홍성에선 증편이라고 부르고 쌀가루에 막걸리로 발효시켜 모양을 내서 시루에 쪄냈다. 떡 위에 꼭 들어가는 고명은 수탉의 벼슬 닮은 시뻘건 맨드라미 꽃잎을 찢어서 넣고, 석이버섯도 잘게 채 쳐서 넣었다. 대추 밤도 넣어 맛깔나게 만들었다.

이 모두 어머니가 잘 만드셨고 작은 동네에 잔칫집이 생기면 어머닌 내 집일처럼 나서서 하셨다. 그리고 과방 보는 일도 마다하지 않고 색색의 과줄이나 떡을 일정하게 담아내어 일의 진척이 빨랐다. 이처럼 어머니는 동적이고 활달한 성격이며 외향적이었다.

마을에 초상집이 생기면 손수 콩을 맷돌에 갈아 두부를 하고, 팥죽을 쑤어 동이째 이고 가는 것도 어머니 몫이었다. 물론 양반 타령만 하시는 아버지는 못마땅하셔 눈치를 주었다. 그래도 그 고집을 아버지도 꺾지 못했다.

모든 걸 사다 차리는 시대는 가고 이제는 뷔페식당으로 몸만 가면 된다. 증편을 먹으며 바쁘게 움직이던 어머니가 떠올랐다.

맨드라미꽃은 쓰임새가 또 있다. 밀가루를 막걸리와 소다, 당원으로 반죽해서 개떡을 찐다. 가마솥에 겅구리를 지르고 양은쟁반 가득 반죽한 재료를 부어준다. 살며시 부어 맨드라미꽃 잘라놓은 것과 풋강낭콩을 넣어 찐다.

노란색의 소다 냄새가 나긴 해도 비 오는 날 마루 끝에 앉아 아니 먹어본 사람은 모를 것이다. 지붕에서 떨어지는 빗방울이 방울방울 흘러서 땅으로 흘러가는 것을 보면서.

어머닌 공주군 유구면에서 중매쟁이 소개로 홍성까지 입성하셨다. 늘 손이 큰 어머닌 우리들 배곯을까 봐 간식을 이것저것 해 주셨다. 어머니는 맨드라미처럼 시들지 않는 사랑을 자식들에게 퍼붓으셨다.

'신이 모두를 보살필 수 없어 신 대신 어머니를 보냈다'고 한다. 우리 어머니 말고도 세상의 어머니들은 다 훌륭하다. 63세에 별세하신 어머니는 치마를 둘러서 여자이지 여성이 아니었다. 가정을 이끌어 가는 것도 그렇고 다스리는 것도 어머니 몫이었다. 아버지는 늘 건강이 안 좋으셔 겨우겨우 살아 내셨다. 그래도 희수喜壽까지 사시다 가셨다.

어머니는 항상 내 가슴에 계신다. 늘 웃고 계신다. 세상일이 어려울 때나 고독할 때나 언제나 힘이 되어 내 마음속에서 나를 이끌어 주시고 계신다. 쓸쓸할 때나 내 가슴속에서 날 응원해 주셔서 오늘날의 내가 있다. 어머니란 단어만 생각해도 든든해진다. 앙마디진 손, 주름진 얼굴은 내 마음에 살아서 계신다. 오늘도 한없는 사랑으로 나를 이끌어 주시느라 저승에서도 늘 바쁘실 거다.

맨드라미의 꽃말처럼 '시들지 않는 사랑'으로 나를 지켜 주실 것을 믿어 의심치 않는다. 가을 맨드라미가 더 씩씩해 보임은 꽃말을 알고 나서부터다.

# 토끼풀꽃

텔레비전 프로 중에 'TV는 사랑을 싣고'라는 프로그램이 있다. 가끔 제자가 선생님을 만나 정담을 나누기도 하고 와락 껴안는 장면을 보노라면 나의 초등학교 입학 시절의 선생님이 보고 싶어진다.

갓 입학했을 때의 희미한 기억들이 적나라하게 가슴으로부터 일어선다. 아직 보건 시간에 운동장 수업 이전이어서 체력 단련을 시키려는 선생님의 넓은 혜안慧眼이었으리라. 선생님이 "하나, 둘!" 하고 구령을 붙이시면, "셋, 넷!" 하며 젖 먹던 힘을 다해 외쳐댔다.

하루는 예쁜 원피스 차림의 선생님이 반 전체를 병아리 이끌듯이 하여 학교 뒷동산으로 갔다. 앞장서 올라가는 선생님

의 뒤를 우리는 잰걸음으로 바싹 따랐다. 빙 둘러앉아 손수
건 돌리기 게임을 하며 신나게 놀았다. 세상에 나와 처음으
로 엄마와 떨어져 있는 시간이고 보니 엄마 이상으로 선생님
이 좋아졌고, 자상하게도 코흘리개들을 보살펴 주셨다.

햇살이 제법 따가울 정도의 초여름이라 아이늘 이마엔 땀
방울이 송골송골 맺혔다. 게임이 얼추 끝나고 선생님은 아이
들에게 토끼풀꽃을 한 움큼씩 따오게 시켰다. 고사리 같은
손들은 연신 꽃을 따서 반은 땅에 흘리고 남은 몇 개의 꽃을
선생님 치마폭에 나르다 보니, 어느새 푸짐히 쌓여만 갔다.

하얀 꽃으로 손목시계를 만들어 짝꿍끼리 교환하게 했다.
다음에는 꽃과 꽃을 맞대고 둥그렇게 감아 나가니 똬리 모양
이 되어갔다. 우리는 신기한 듯 웅크리고 앉아 선생님의 손과
얼굴을 번갈아 바라보며 궁금했다. 희뿌옇고 둥그런 화관을
높이 들어 보이며, "얘들아, 이거 예쁘니?" 하셨다.

"네에!" 아이들 음성은 초록의 함성만큼이나 힘찼다. 그렇
잖아도 엄마처럼 좋은 선생님의 깔밋한 솜씨가 놀랍고 하늘
만큼 존경스러웠다.

언제나 1번인 나, 맨 앞자리에 앉았던 나에게 그 환상적인
완성품을 머리 위에 살며시 올려놔 주었다. 땅만 내려다보고
있는 붉어진 내 얼굴에 입맞춤까지 해 주시니 내 얼굴은 홍

당무보다 붉었다. 아이들은 힘차게 박수를 쳐주었다. 그때서야 그것이 머리에 쓰는 화관이라는 것을 알게 되었다.

동화 같은 어린 기억들 때문인지 난 해마다 돌아오는 5월이 좋다. 이미 소천하신 피천득 선생의 「5월」이란 수필이 아니더라도 초록의 계절이 좋다. 이른 봄부터 피기 시작하는 만 가지의 꽃도 좋지만, 꽃이 지고 난 후 오월의 산과 들은 초록으로 우리를 압도한다.

선생님은 교단에서 말로만 하는 가르침이 아닌, 야외로 나가 자연 학습으로, 몸으로 우리를 가르치셨다. 선생님은 일찍부터 남을 사랑하는 마음을 일깨워 주신 분이다. 많은 세월이 지난 지금에 와서야 깨닫는다.

가슴속에 묻혀버린 옛 얘기지만 시간이 더해 갈수록 생생하게 살아난다. 영화배우 '오드리 헵번'만큼이나 아름다운 모습을 하고 첫정을 주신 분이다.

저녁 무렵 집 앞에 있는 꽃집 풍경이 클로즈업되어 들어온다. 하얀 안개꽃 속에 카네이션 한 송이씩을 넣어 은박지로 돌돌 말아 놓았다. 바로 내일 5월 15일이 스승의 날임을 알았다. 초등학생들이 우– 몰려와 꽃을 고르는 풍경이 보기 좋았다. 부러운 눈으로 바라보다 나도 마음의 꽃다발을 그 선생님께 바쳐 본다.

지금도 봄 들판에서 토끼풀꽃을 만나면 잊고 있던 기억들이 되살아나고, 어릴 적으로 빠져들어 간다. 하얀 꽃은 햇빛이 강렬한 날이면 옥빛을 반사하며 나를 매료시킨다. 행운을 안겨준다는 네 잎사귀보다는 행복을 가져다준다는 세 잎사귀와 꽃 무디기를 더 사랑한다.

야생화 같은 귀화식물 토끼풀꽃은 행운이 올 것 같아 자주 꽃시계를 만들어 손목에 걸어 본다. 그리고 여름마다 한 번씩 하얀 화관을 쓴 여왕이 되어 보곤 한다.

# 햇순을 피워낸 햇무리

겨울 가고 모든 나뭇잎이 보드라운 햇순을 틔우는 생 그런 봄이다. 봄바람은 '처녀바람'이라고 어디론가 나불대며 나들이 가고 싶다.

속담에 '봄에는 백양산 비자나무 숲의 신록이 으뜸이라 했다.' 탁한 실내공기 속에서 겨울을 났으니 숲속에 들어가 피톤치드로 산림욕이 하고 싶어졌다. 나무에서 나오는 향기 성분은 주위의 미생물을 죽이는 작용을 하여 봄 산은 효용이 많다.

기온변화로 인하여 겨울이 길었던 탓에 새뜻한 산나물을 입에서도 몸에서도 원한다. 두메산골마을에서야 새파란 나물의 가짓수가 여간 많던가. 재래시장에서도 봄 첫머리에 두릅 순을 으뜸으로 여기며, 스티로폼 쪼가리에 옹골차게 담겨

나오기 시작한다.

두릅은 펄펄 끓는 간물에 넣었다가 재빨리 데쳐내야 너무 무르지 않고 알맞게 삶아진다. 가족들의 예사롭지 않은 향미에 젓가락이 자주 오간다. 두릅나물은 잎이 너무 널따랗게 씌어나면 상품 가치가 떨어지고 맛이 덜하다.

봄에 먹을 수 있는 나물로 두릅 순 말고도 연한 나물들이 많다. 오갈피, 가죽나무, 엄나무, 옻나무 순들이다. 도시 사람들보다야 농촌 태생이므로 많이 보면서 커왔다.

어리디 어린 두릅 순을 초고추장에 찍어 먹으며 안쓰러운 생각이 들었다. 젓가락질하다가 미안한 맘이 절로 났다. 이런 어린순들이 비집고 나오기가 바쁘게 사람들은 똑똑 따다 먹으니, 나무는 원통만 남아 우두망찰 서 있으리라.

눈보라 치는 들판에서 따순 햇무리 내려오기를 그 얼마나 기다렸다 피워낸 잎일 터인데 아마도 갑자기 뜯겨나가는 몸피를 보내며 정신이 얼떨떨했을 것이다.

그렇듯 떼어내도 곁의 뽕나무 가지에선 움뽕을 피워내고 만다. 옹골찬 생명력에 옷깃을 여미게 한다. 사람 입속에 넣자고 이제 막 피워낸 잎이 맘껏 펼쳐보지도 못하고 스러져가고 있다.

약수터 야트막한 산 길목, 봄바람 사부작거리는 정자에 할머니들이 모여 앉아 이엄이엄 한가롭게 점심보따리를 풀어놓고 이바구하고 있다. 검정콩 드문드문 섞은 현미 찰밥은 건강 밥이었다. 반찬은 별스럽지 않은 상추와 된장 묵나물로 소찬이었다.

산객끼리는 누구와 만나도 가벼운 고개 인사를 하게 된다. 자주 만나는 노인들이었다. 나무젓가락을 툭 떼어내어 손에 쥐어 주며 좁은 틈새로 앉으라고 끌어당긴다. 햇무리가 말가니 벨벳처럼 보드라운 빛을 발하여 골다공증을 물리쳐 주고 있다. 해가 내쏘는 광선은 우주를 발돋움하게 하고 사람도 다시 기력을 차리게 한다.

밭에서 갓 따온 상추를 큰 봉지에 한가득 가져왔다. 쌈 속에는 오갈피 순이 더러 섞여 밥을 싸 먹으니 씁쓰레한 맛이 봄 타던 내 입맛을 자꾸 돋워주었다. 반찬통으로 수북이 담아온 나물은 어린 뽕나무 순을 슬쩍 삶아 말린 나물이었다. 건강한 노인네들은 봄누에처럼 뽕나무 잎을 들로 산으로 다니며 장만하여 친구들과 어울려 정을 다지고 있다.

우리 가족도 봄이 영글어 갈 무렵 경기도 오산에 있는 '물향기수목원'으로 벼르고 벼르던 소풍을 갔다. '물향기수목원'은 원래 임업 시험장으로 사용하던 곳이었는데 길을 내고 나무들을 더 심어서 많은 이들이 찾는 휴양림, 좋은 쉼터로, 산책로로 변신했다. 많은 사람이 모여 코를 벌름이며 들썩인다.

큰 나무들 옆에 또 한 떼기의 밭이 눈에 들어온다. 두릅나무밭이었다. 당연히 아무도 손대지 않은 두릅 잎사귀들은 번성하여 지나가는 바람에 팔랑거렸다. 가지마다 사납게 가시가 돋아 있다. 닭백숙을 해먹을 때 약재로 넣는 엄나무와 비슷했다.

그래서 시골집 바깥마당 귀퉁이에는 귀신 쫓는 나무라 하여 으레 한 그루씩 심었다. 집 뒤쪽 멀리에는 가죽나무가 두 그루 있었다. 어른들은 긴 장대에 낫을 칭칭 동여매어 어린 순을 땄다. 살짝 데쳐 고추장 양념을 해 말리기도 하고 찹쌀풀을 발라 말렸다가 장마철에 튀겨 먹기도 했다. 독립군 자손이라 궁색했던 살림에 나물은 양식에 큰 보탬이 되었다. '이 설움 저 설움 해도 배고픈 설움이 제일'이라고 했다.

여러 해 동안 흉년 들던 해에, 손끝 여문 어머니는 바위가 많은 대흥산에 올라 산나물을 뜯어 자루에 담아 이고 들고 그 높은 산을 타고 내려오곤 했었다. 생각해보니 몸에 좋은 나무들은 유난히 가시 많은 게 특징이다. 오갈피나무와 두릅나무, 엄나무가 그렇다.

사람들이 가시가 돋아서 따끔거려도 찔려 가면서 햇순을 따다 먹는 걸 보면 보약이 돼서이고, 나무들은 잎을 보호하려고 가시를 세우는 것일 거다. 겨울 산의 나물 뿌리들은 죽은 듯 엎드려 있다가도 이듬해 꼭 그 자리에 싹이 돋는다.

나뭇가지의 새순들을 보면서 우리네 인생도 그리할 수는 없을까 아쉬워해 본다. 아기도 갓 태어났을 땐 햇순처럼 가녀리고 예쁘지만 살면서 만고풍상을 겪어 드세어진다. 이세 삼세 사세가 태어나 그 뿌리를 이어가긴 하지만 정작 원목은 죽어 눈에서 사라지고 만다.

나무들처럼 죽었다 살았다 하는 고행을 덜해서일까. 사람은 춥거나 더우면 몸을 사린다. 사람은 식물의 일생을 감히 흉내낼 수 없음이다. 약수터 길목에 뽕나무의 햇순을 똑똑 끊어간 자리의 겨드랑이에서 새순이 얼굴을 내민다. 나물이 양식의 보탬이 되어 큰 병 없이 살던 때와는 달리 만병이 난무하는 지금에는 갖가지 햇순들은 웰빙 식품으로 약초로 거듭나고 있다.

햇빛이 대기 속의 수증기에 비치어 해의 둘레에 둥그렇게 나서는 햇무리가 해마다 순을 돋게 하고, 잎사귀를 잡아 들세운다. 우리도 겨울 동안 움츠렸던 어깨를 나란히 햇잎들과 같이 햇무리 속에 끼어들어 다시 춘색을 띄워본다. 사람에게 봄은 두 번 오지 않으니, 오는 봄을 잘 다스려 참되게 살아야 하리라고 다짐해보곤 한다.

봄 햇순은 죽은 것도 아니고 산 것도 아닌, 겨우 목숨만 붙어 있는 그야말로 불생불사의 지경에 이르고 있다.

# 아보카도와 지구온난화

숲속의 버터라는 아보카도를 먹었다. 비타민과 미네랄이
풍부하다기에 속는 셈 치고 자주 산다. 여느 과일과 달리 달
지 않아서, 식감이 보드라워 치아가 부실한 나는 자꾸 먹게
된다. 명란젓과 같이 뜨거운 밥에 썩썩 비벼 먹으면 좋다. 수
입 과일이라는 게 좀 흠이지만.

당지수가 높은 걸 피하다 보니 늘 신경 쓰며 잣대로 달듯
하루하루를 조심한다. 그러니까 맛없는 것만 먹어야 하는데
어디 또 그렇게 되나.

그렇게 좋아하던 여름 과일 수박이 나를 유혹한다. 그래서
작은 걸로 1통 사서 냉장실에 보관하며 소고기 떼어먹듯 조
금씩 썰어 먹는다.

꼭 탁구공만 한 아보카도의 씨를 발라내어 놓은 지가 1년 정도 되었다. 행여나 하는 생각에 흙이 담긴 화분에 묻어 놓았다. 하루 종일 햇빛이 재재거리는 찜 가마 같은 남향집, 베란다에서 삼십 여일 만에 딱딱한 탁구공 같은 물체에서 푸른 싹이 솟구쳤다.

무더운 여름날 멕시코 땅인 줄로 착각하고 여장을 푼 셈이다. 그리고 하루가 다르게 야금야금 올라간다. 이뿐이 아니다. 바나나도 제주도는 물론이고 각처에서 수확하여 대체 과일로 각광받고 있다. 체리, 망고, 두리안, 파인애플, 단백질과 해독작용을 하는 파파야 등.

지구가 온난화로 바뀌면서 과일나무도 바뀌어 가고 있다. 좋은 일은 아니지만 어쩌랴 입맛도 바꿔야지 과수원을 경영하는 농부들에게는 얼마나 아픈 현상인가. 서늘한 기후에서 키우던 과일나무들과 이별하고 열대과일로 심는다니.

어린 날 참외밭 원두막에 올라가 동생들과 몸싸움하며 개구리참외 먹던 이야기는 물 건너간 것인가. 지금의 하우스에서 키운 노란 참외는 옛날 맛이 나질 않는다.

지구온난화로 지구의 온도가 상승하는 이유는 온실가스라고 밝혀졌지만, 원위치로 가기는 어렵다. 북극얼음이 녹아내리면서 북극해의 염도와 비중에 변화가 생겼고, 이 때문에 북대서양과 그린란드 등에 이변이 일고 있다.

유럽 및 북미 연안을 흐르는 해류의 속도와 방향이 달라지면서, 물에 사는 물범들이 죽어 간다는 보도가 있었다. 그냥 흘러가듯 들었는데, 어마무시한 일들이 일어나고 있다. 그야말로 하늘에서 보일러를 켜 놓은 것같이 사람이 감당하기 어려운 지경으로 더워서 못 살게 됐다.

지구 탄생 45억 년 전 이래 처음으로 감당하기 어려운 지경에 왔다. 연일 더워 가는 지구, 사람 체온을 넘어서는 38도다. 에어컨 켜지 않고는 배겨낼 수가 없게 돼가고 있다. 사람을 시원하게 도와주는 실외기에서 나오는 그 열풍은 어찌할 도리가 없다. 덥다고 에어컨을 연상 돌리면 그 온도는 어찌 감당하고 지킬 것인가.

그래서 자꾸 지구는 신음하며 앓고 있다. 속담에 '언 발에 오줌 싸기다.' 당장은 뜨뜻하겠지만 그 물체는 또다시 얼음 되고 말 듯이.

생활의 필수품 자동차는 모든 가정에 1대씩 모시고 살아간다. 그 열감 시멘트를 갈고 지나가는 열기와 타이어에서 나오는 미세먼지는 호흡기 질환이나 신경장애를 유발한다. 휘발성 화학물질 등 모두 사람이 개발하여 사람이 다치고 스러져 가는 꼴이 됐다.

베란다에서 남의 나라인지 모르고, 부지런히 성큼 자라고 있는 아보카도가 생경스럽다. 익숙하지 못하여 부드럽지 못한 눈길이지만 한 물체의 생명이니까. 어서 크기를 기원해 본다.

실내온도가 30도를 넘는다. 퓨전 음식의 열풍과 함께 요리를 장식하거나, 소스의 재료가 되는 아보카도가 열매를 맺는 그날까지 응원하리라.

# 코로나바이러스 시대

　'코로나19'가 2019년 12월 1일 중국 후베이성 우한市로부터 퍼지기 시작한 지 2년이나 되어간다. 전 세계로 퍼진 무서운 유형의 바이러스는 주의해야 할 사항이 많기도 했다.

　마스크 쓰기, 손 자주 씻기, 사람 간 거리 두기, 독감 안 걸리기, 검사하기 등 기저질환이 있으면 더더욱 조심을 당부했다. 처음 영상매체를 볼 때는 많이 무서웠다. 당뇨병 환자나 고혈압을 앓고 있으면 누구나 다 걸리는 것처럼 겁을 주었다.

　중국에서 죽은 사람을 관에 넣어 땅에 묻을 자리가 없을 정도로 그 숫자가 넘쳐났다. 특히나 노인들은 외출을 자제하고 집안에만 있으라 한다. 외롭고 고독하게 살아가는 노인들인지라 이중고를 겪고 있다.

소리 없는 전쟁이 시작되었다. 몇 년 전의 메르스 바이러스처럼 쉽게 사그라질 줄 알았다. 지난 봄날 마스크를 사기 위해 약국 앞에 긴 줄을 서야 했고, 모든 관에서 주관하던 프로그램이 정지되었다.

전에는 복지관이나 주민자치센터에서 운동 수업을 받을 수 있었으나, 모든 프로그램이 스톱 되었다. 사설 체육시설 학원에서도 확진자가 속출했다. 아이들이 학교에 못 가니 엄마들은 삼시 세 때를 끓여 대느라 말이 아니었다.

학교로 식자재를 납품하던 업체도 스톱 되었다. 모두 얽히고설켜 서로 기대고 살아가는 게 사람인데, 나도 '삼식이' 덕에 땀깨나 흘리고 있다.

목적 없는 방황이 시작되었다. 사계절 볼거리를 제공해 주는 학의천으로 나가 매일 1시간씩 산책을 한다. 운동량이 절대 부족한 나이기에 그 수밖에 없었다.

그러다 여름꽃인 금계국을 만나는 계절이 왔다. 줄기의 높이가 가을 코스모스를 닮아 껑충하다. 비록 우리 꽃은 아니지만 노란 꽃의 가녀린 허리가 보호해주고 싶은 맘이 든다.

금계국은 숙근초로 다음 해에 씨를 뿌리지 않아도 또 나고 자라서 군락지를 만든다. 6월에서 9월경에 황색 꽃이 피며 아메리카가 원산지로 백여 종이 된단다. 아름답기 그지없는 꽃은 사람의 마음을 정화시켜 주고 안정을 주며 명랑하게 해준다.

학의천 부근 우리 동네에서 만나는 또 하나의 명소가 있다. 레스토랑 빕스(VIPS) 2층 라운지에 앉아 창밖을 보면, 수령 50년 된 느티나무 30여 그루가 열 지어 있어 운치를 더해준다. 봄에는 나무들이 새 옷 입는 소리가 들릴 만큼 와시락거리고 여름엔 공기 청정기 같은 시원함을 후덕하게 베푼다.

굳이 양식당을 들어가지 않더라도 피톤치드가 뿜어나오는 그 산책길의 벤치를 좋아한다. 코로나에 시달린 사람들을 잘 보듬어준다. 여름 손님 매미가 나무꼭대기에서 부지런히 목이 터져라 하고 존재를 알린다.

코로나로 인해 근 1년 동안 문학모임을 못하고 화상채팅을 한다고 법석이었다. 문학인은 조용한 것을 좋아한다고 해도, 사람과 사람을 만날 수 없음은 슬픈 일이다.

1차 백신을 맞고 많이 앓았다. 어느 시인의 말처럼, '이 또한 지나가리라.' 우리 세대는 그럭저럭 살아내고 있지만, 다음 다음 세대들은 어찌 살아낼지 딱하기만 하다. 후손들에게 물려줄 자산이 없다. 아픈 현실만 주고 가게 되었다.

이제는 델타니, 변이바이러스까지 합세하여 4차 유행으로 이어지고 있다. 강한 사람만이 살아남을 것이다. 감염 속도가 얼마나 빠른지 한 공간에 있기만 하여도 걸린다는 것이다. 정부에서는 자꾸 단절하라고 목소리를 높인다. 그동안 우린 너무 잘 살아왔다. 모두 옛날얘기가 되었다.

세계 여기저기서 화산이 터지는가 하면, 가물어서 더위가 사람 몸보다 뜨거운 40도에 육박하고 있다. 비가 와서 대홍수가 나기도 하고 불은 왜 그렇게 자주 나는지 모르겠다. 가장 큰 걱정은 지진이다.

아파트 시대라서 불이 나면 4, 5층 정도는 덩달아 못쓰게 되어 버린다. 단독주택은 자기 집만 열심히 끄면 그만인데 이제는 그게 아니다. 높게는 37층까지 사다리차가 올라가야만 한다. 불 먹은 집은 그야말로 쓸모가 없다.

모든 우주의 질서를 어기고 살아온 우리가 죄인이다. 편리한 일상만을 추구하며 빌딩을 짓고 지하철을 만들고 자동차가 우리를 만족시켰지만, 이제는 자연계가 화를 내고 있다. 이제라도 귀 기울여 잘 달래며 살아갈 일이다. 싱크홀이 생기는 것도 우리의 잘못이다.

연일 전화기에 코로나 환자가 늘고 있다는 문자가 빗발치고 있다. 수그러들 기미가 보이지 않으니 이러다 멸망이 오는 건 아닌지 무섭기만 하다.

학의천변은 언제나 찾아오는 사람들을 귀빈으로 반기며 맞이해준다. 저 끈질기게 겨울을 이겨내고 해마다 피어나서 사람에게 미소 짓는 금계국같이….

추워도 춥다고 아니하고 전염병이 돌아도, 저 참을성이 많은 사람에게 이로움만 주는 버드나무처럼 살아야 하리. 자연은 꿋꿋하게 살아가는 법을 우리에게 가르쳐주고 있다. 배우고 실천해야 한다. 오늘따라 금계국이 더 아름답다.

# 군포와 안양의 축제

봄이 되면 꽃이 지천이라서 가슴이 설렌다. 군포의 철쭉 축제, 안양의 시민축제와 충훈부의 벚꽃 축제가 있어서 살만하다. 4월만 되면 군포에서는 철쭉꽃이 붉은 산을 만든다.

면적이 오만오천팔백여 평의 드넓은 언덕배기에서 철쭉 축제가 시작된다. 1999년에 군포시청 생태공원 녹지과에서 산본동 1152-14호에 이십만 그루를 식재했다. 자산홍과 산철쭉은 당연히 군포의 상징이 되었다.

전철 타고 가는 거리라 퍽 먼 거리 같지만 수리산역에서 내려 조금 걸어 들어가 꽃동산에 오르면 천국인가 싶다. 그렇게 넓은 땅에 땀 흘리며 나무를 심었을 사람들의 노고를 떠올리며 천천히 올라가 꽃 사진을 실컷 담는다.

어느 축제든지 다 그렇겠지만 유난히 크고 넓은 무대에선 각설이 타령에 시민 노래자랑이 펼쳐지고 있다. 추억사진관에도 들어가 남편과 사진 한 장 찍어 보았다.

'군포' 이름의 유래는 조선 시대 병역 의무인인 남자 16세~60세 이하의 현역 복무에 가지 않는 대신에 부담하였던 세금이라고 한다.

'군포' 하면 군포지역의 행정동으로 광정동이 있고 자연마을이다. 수리산자락에 있는 고개와 골짜기, 하천과 저수지 지하철역과 터널 교량이 있어 교통시설이 잘되어 있다. 군포의 광정동에는 조선 시대 제9대 임금이신 성종의 셋째 아드님 안양군의 묘가 있다.

1980년대 군포는 아주 농촌이었다. 개발 바람이 불며 아파트가 들어서기 시작했으며, 비닐하우스 단지가 많았다. 서울 사람들이 밀려와 딱지를 사들여 원주민들이 밀려나기도 했다. 순진한 원주민들은 땅이 아니면 살아가기 어렵다는 판단에 반대도 극심했으나 결국 물러날 수밖에 없었다.

군포는 지금 살기 좋은 도시로 변해가는 중이라 안양과 의왕을 통합하려고 하나, 굳은 뜻을 표명하며 받아들이지 않는 것으로 알고 있다.

우리가 사는 안양에도 축제 중의 축제인 시민축제가 유명하다. 1972년 10월 안양읍이 안양시로 승격하여 석수동 공설운동장에서 축하 퍼레이드를 열고 대단했었다. 지금의 럭키아파트 자리다.

지금은 매년 평촌중앙공원과 병목안시민공원에서 축제를 열고 있다. 중앙공원은 무엇보다 먹거리 마당과 댄스 마당에 가장 많은 이들이 모여들었다. 올해는 온라인으로 대신하고 있다. 그때가 그리운 옛날이 되었다. 그러고 보면 나도 구경 꽤나 좋아하는 축에 들고 있다.

석수 3동의 충훈부에서 열리는 벚꽃 축제를 빠트릴 수가 없다. 충훈부의 유래는 고려 시대 나라에 공훈을 세운 신하 즉 공신과 그 후손을 우대하기 위해 설치한 관청으로 지금의 국가보훈처와 같은 격이다.

관청의 자리는 여러 번 변동이 있었다. 중종中宗 이후부터는 현재의 인사동길, 북단에 작은 공연장이 있었다. 남쪽에 있는 대한제국 시기에 청사 자리로 사용되었다.

축제 때가 되면 우리집 베란다에 서 있던 20년 된 영산홍과 철쭉이 봉오리를 물고 있다가 일제히 터트린다. 날마다 물 주고 정성을 주었더니만 우리집 대표 꽃들이 되었다.

한번 피고 나면 화초 거름을 더해준다. 해산어머니만큼 힘들었을 영산홍에 대한 대접이다. 해마다 분갈이도 제대로 못해 주고 해서 좀 더 신경을 쓴다. 한번 피기 시작하면 4개월은 족히 간다. 키다리 철쭉에게도 매년 꽃을 피우면 환성으로 감사함을 표한다. 키가 2m나 된다. 화초를 가꾸고 꽃이 피면 사진 찍어 형제들 핸드폰에 올려 준다.

꽃은 언제 보아도 사람의 마음을 즐겁게 하고 들뜨게 한다. 아무리 악한 사람일지라도 마음을 안정시켜준다. 그래서 군포의 철쭉 축제나 안양의 벚꽃 축제가 좋다.

# 3

달빛 한 스푼

# 달빛
## 한 스푼

# 관악산 나들이

 몇 해 전 봄볕이 폭포수처럼 쏟아지는 오월의 일요일에 문학 동인들과 연주암으로 나들이를 떠났다. 관악산 산문을 열고 들어서니 산꽃이 지천이다.

 관악산은 높이 629m나 되어 오르기도 전에 압도당하게 된다. 최고 높은 연주봉은 서쪽으로 삼성산과 이어진다. 기반암은 비교적 가파르며 서울 분지로 둘러싸여 있는 봉우리의 하나로 예로부터 수도 서울의 방벽으로 이용되어 왔다.

 본래 화산이라 하여 조선 임금이신 이성계 할아버지께서 도읍을 정할 때 화기를 끄기 위해 경복궁 앞에 해태를 만들어 세우고, 이 산의 중턱에 물동이를 묻었다고 한다. 산중에는 연주암, 용마암, 자왕암, 불성사 등의 암자가 곳곳에 자리하고 있다.

연주암에 도착하니 마침 점심시간이어서 드넓은 절 마당에는 등산객들이 점심 공양을 위해 길게 줄을 서서 기다렸다. 우리 일행은 얼마간의 불전을 걷어서 함에 넣고 비빔밥을 받아들고 좁다란 쪽마루에 일렬로 앉았다. 비록 소찬이지만 꿀맛이라서 오래 씹지 않아도 꿀렁꿀렁 목 뒤로 잘도 넘어갔다. 연주암은 워낙 큰절이라 굳이 일요일이 아니어도 불자나 산객들이 끊이지 않는 절이다.

식사 후 효령대군 할아버지 초상화가 모셔져 있는 효령각에 신발을 벗고 올라가 삼배를 올리고 나왔다. 뒤에 서서 지켜보던 동인들은 감탄했다. 훌륭하신 분의 자손임을 과시하지 않아도 전주 이씨라는 것만으로도 부러워했다. 조용히 나와 효령대군 21세손임을 밝히고, 이번에는 '연주대'로 발길을 옮겼다.

현판에 '응진전'이라고 야트막이 붙어있다. '응진전'이란 아라한이란 뜻으로, 소승불교에서 온갖 번뇌를 끊고 사제의 이치를 깨달아 사람들의 우러름을 받을만한 공덕을 갖춘 성자란 뜻이다.

연주대는 경기도 기념물 제20호로 경기도 과천시 중앙동 85번지 2로에 위치해 있다. 1407년 태종 7년에 효령대군에

봉해졌으며, 대군이란 정궁이 낳은 아드님을 높여 이르는 말이다.

깎아지른 듯한 바위를 타고 게걸음으로 내려갔다. 빈혈이 있는 난 아슬아슬하게 발길을 옮겼다. 바위 벼랑 위에 돌로 쌓아 만든 옹벽을 따라 들어서니 30입방미터쯤 되는 곳에 구축되어 있었다. 불당 뒤쪽에는 우뚝 솟은 바위가 있어서 그 바위에 올라가면 득남할 수 있다는 전설이 있다 한다.

조선왕조가 개국되면서 무학대사의 권유로 태조께서는 도읍을 한양에 정할 즈음 이 연주대에 친히 올라 국운장구를 비셨다고 한다. 효령대군은 임금 자리를 아우님이신 세종께 양보한 양녕대군과 이곳에서 노셨다는 설이 있다. 그리고 효령대군 할아버지께서는 여기에서 오랜 기간 수도하셨기에 초상화가 효령각에 보존되어 내려오고 있다.

태조 때의 예에 따라 세조 때에도 이곳에서 백일기도를 올렸다 한다. 또 한 가지 설은 조선 초기에 양녕대군과 효령대군이 충녕대군이셨던 세종에게 왕세자의 자리를 물려주었는데 그 후 효령대군 할아버지께서는 임금인 세종대왕을 그리워하며 한양을 바라보셨다는 유래가 있다.

효령 할아버지는 불교문화의 창달을 위해 많은 날을 보내시다가, 1486년 구십일 세로 하세하셨다. 2020년 음력 5월

11일은 534돌 대군기신제일이다. 그리고 해마다 석가탄신을 맞이해 대군할아버지를 추모하고 후손들의 복되고 영화로운 삶이 되도록 비는 뜻에서 연주암 효령각에는 연등이 환하게 내어 걸린다. 불자가 아니더라도 모두 영정 앞에서 감탄하는 하루였다.

글쟁이들과 많은 자료 수집을 하고 역사 공부를 하며, 도란도란 꽃이 지천인 관악산을 빠져나왔던 기억이 엊그제 같다.

# 지금도 수필밭을 일구시는 선생님

이십여 년 전 막연하게 수필을 써 보겠다고 덤벼들었다. 수필에 대한 공부를 체계적이고 밀도 있게 한 것도 아니면서 그저 쓰고 싶다는 갈망 하나로 가득했었다. 백지와 펜만 있으면 남이 살아가는 이야기와 내가 살아온 삶을 맘껏 펼쳐 문학으로 승화시켜 아름답게 그려낼 줄 알았다.

하지만 수필 문학은 그리 만만하지가 않았다. 그렇게 궁리하고 고민하던 중에 평촌도서관에서 윤재천 선생님의 수필 강연이 있다는 것을 지인을 통해 알게 되었다.

'수필을 어떻게 쓸 것인가'라는 주제의 열강을 듣게 되었다. 그때 난 소녀처럼 많이 설레었다. 글을 긁적거릴 때마다 궁금했던 것들이 일순간에 풀리는 듯 귀에 쏙쏙 들어와 자양분이 되었다.

'간절히 원하는 자에게 해답이 있듯이' 선생님은 나직한 음성으로 일목요연하고 진지하게 그리고 알아듣기 쉽게 수필 이야기보따리를 풀어놓으셨다. 그간 글다운 글을 쓰기 위해 얼마나 많이 헤매었던가. 잘 다듬어진 수필을 빚으려면 덕망 높은 훌륭한 스승님을 만나야 한다는 꿈을 키우고 있던 참에 윤재천 선생님을 알게 된 것은 내 인생에 전환점이 되었다.

수필을 탐구하시는 선생님이 존경스러웠다. 그때부터 여건이 갖추어지면 꼭 서초수필반에 들어가 제대로 공부하고 싶은 욕망의 날로 이어졌다.

계간 『현대수필』을 구독하면서 선생님이 매년 엮어내시는 『수필학』이 있다는 것도 그때 처음 알았다. 생각을 많이 하고 책을 많이 읽고 글을 많이 써야 함은 기본공식이지만 수필을 공부하는 사람들에게는 좋은 교과서도 꼭 필요했다.

『수필학』은 내게 참으로 유익한 필독서가 되어 한 페이지도 빠트리지 않고 읽어서 내 것으로 만들었다. 그 외에도 선생님이 지으신 『수필작가론』과 『수필작법론』은 훌륭한 수필의 길라잡이가 되어주었다.

늘 바쁘게만 살다가 어느 날 이때다 싶어 서초수필반에 등록하여 선생님의 제자가 될 수 있었다. 갈고닦은 실력을 발판 삼아 2002년 『현대수필』 여름호로 등단하여 작가라는 칭호를 얻음과 함께 근근이 수필가의 자리에 들게 되었다.

가까이에서 뵙는 선생님은 천생 수필가이시다. 성품이 온화하고 섬세하시니 만인이 읽어서 편안한 수필만을 쓰실 수밖에 없다.

일주일에 두 번 제자들을 지도하시며, 작품집을 내는 이들에게 평론을 써주시는 그 열정과 무한한 힘의 원천은 어디에서 솟는지 참으로 존경스럽다. 손수 승용차를 운전하시어 자유롭게 기동하며, 원고도 손수 컴퓨터로 작성하시니 젊은이의 기상이 부럽지 않다.

나는 언제나 선생님이 이끌어가시는 거대한 사단에서 활동하고 있다는 자부심이 자극제가 되어 나를 지탱해주고 있다.

청바지가 잘 어울리는 사고가 젊으신 선생님이 벌써 구순이 되셨다니 거듭 축하를 드린다. 전국 어느 지역이든 선생님의 수필 강의가 필요하다면 한달음에 가시곤 하던 그 열정, 백수白壽까지 계속 이어지시기를 바라마지 않는다.

아주 젊음이 한창이실 때부터 수필밭을 갈고 닦으신 선생님은 지금도 부지런한 농부의 기상으로 수필을 연구하신다. 그래서 수필가들의 우상이 되신 것이다. 앞으로도 타고나신

건강함을 잘 유지하시어 우리들의 영웅이 되어주십사 하고
기도드린다.

　선생님의 필력을 오래오래 보존하셔 '수필밭의 파수꾼'이시
길 빌어본다.

# 글을 쓰게 된 동기

독일의 철학자이자 시인인 요한 볼프강 괴테는 많은 명언을 남겼다.

"이 지구상에는 아직도 큰 사업을 일으킬 여지가 있다. 내가 할 일은 일하고 공부하고 것이다." 그는 가업가로 철학자로 시인으로 승승장구했다.

괴테, 릴케, 니체, 엘리엇 등은 주옥같은 시를 남긴 시인들이다. 처녀 때, 유명시인들의 시를 노트에 옮겨 쓰길 반복했다. 혼자서 낭독도 해봤다. 영국의 시인 T.S 엘리엇의 「황무지」를 좋아했다. 그리고 명언 집과 속담집을 달달 외웠다. 아침 방송 라디오에서 나오는 『채근담』을 귀 기울여 들었다. 지나고 보니 내 문학의 시초인 듯하다.

결혼 상대자도 출판사에 다닌다고 하기에 합격점을 주었다. 책을 많이 읽었을 것 같아서. 남편이 다니는 회사에서 발행하는 사보를 열심히 읽었다. 그리고 여기저기 투고도 많이 했다. 70년대 그러니까 50년 전 사보는 그래도 잘나가는 회사만이 자기네 회사를 홍보키 위해 거금을 써가며 사보를 만들었다. 5매 수필 한 편에 오만 원은 큰 액수였다. 지금은 경제가 어려워 홍보실이 그다지 힘을 쓰지 못한다.

신혼 시절 하루는 옆집 수다쟁이 아줌마가 서류 한 장을 들고 찾아왔다. "새댁! 나 이것 좀 써-줘!" 하고, 주저주저하며 종이를 빼꼼히 내밀었다. 평소에 동네 별명이 '떠들네'였다. 읽어 보니 초등학생 아들의 가정환경 조사서였다.

"별거 아닌데요. 그냥 쓰시지요.",

"나 부끄러운 얘긴디, 핵교를 안 댕겨서 글씨를 몰라."

죽 읽어 보고 턱 하니 써 주었다. 학교를 안 다닌 사람은 아이들 키우기도 힘들겠구나. 내 어린 맘에 아줌마가 안쓰러웠다.

모든 사람을 우리 엄마 기준으로 생각했다. 엄마는 내 귀에 딱지가 앉도록 자랑이셨다. 유구초등학교 졸업식 때 도지사상까지 받았다고.

서울에서 안양으로 이사 와서 또 덩치 큰 아줌마의 부탁을 받았다. 다니던 직장을 그만두게 되었는데, 사직서를 작성하지 못해 쩔쩔매었다. 내가 그런 걸 작성해준 것이 대단한 게 아니고 사람들이 날 믿어 준 것이 더 고마웠다. 나도 가방끈이 짧은 처지에 서식도 모르면서 써낸 내가 기특했다. 내게 그걸 써서 받아 가면 조그만 동네에 소문은 내지 않을 거라는 사람으로 보아준 것이다.

그래서 아이 둘을 다 키워 놓고 사십 대에 필을 갈아 본격적으로 덤벼들었다. 수필은 더러 자기 삶을 고스란히 드러내는 문학이다. 일기도 식구들에게 보이지 않을 만큼 내성적이었다. 그러나 글은 인쇄되어 만인에게, 컴퓨터에 보이게 되었다. 문학은 사람을 바탕으로 하기에 사람을 사랑하고 사람다운 행동을 해야 된다는 것도 알았다.

90년대 초반에 시 창작을 사사 받았지만, 시를 쓰기란 쉽지 않았다. 그래서 시인이 대단하다. 우리 선생님 늘 하시는 말씀, 글쓰기는 누가 가르쳐서 되는 게 아니라고 이르셨다. 많이 읽고 많이 생각하고 많이 쓰는 수밖에 없다고.

궁리 끝에 수필의 바다에 뛰어들었다. 시적인 수필창작은 어렵지만 만만했다. 수필의 범주는 넓기만 하다. 서간문, 기행문, 일기, 독후감, 서평, 사설, 칼럼, 논술, 수기, 자서전, 보고서 등이 있다. 시인들도 수필을 써 볼 일이다.

안양시에서 주최하는 '안양여성백일장'에 나가 입상을 하면서 한층 용기를 얻었다. 아무리 늦깎이로 시작했더라도 어설픈 수필집 3권을 모두 예술인 창작지원금으로 발간하게 되었다.

등단하기 전 전원생활 잡지 독자란에 수필 한 편을 투고했었다. 현직에 계신 시인 이승하 선생께서 극찬해 주어 비로소 힘을 얻어 수필을 계속 썼다. 대표작으로 「녹색 꿈을 꾸는 호박」을 감히 내세우고 싶다.

글 쓰는 작업으로 거대한 밥벌이는 되지 않는다. 그러나 나는 몇 명의 독자만이라도 있다면 마다하지 않고 글쓰기를 반복하련다.

요즘은 전주 이씨 효령대군 문중에서 발행하는 사단법인, 청권사淸權祠 계절 사보에 수필을 고정 발표한다. 좀 무게가 있는 수필이면 다 실어 주고, 원고료 또한 섭섭지 않게 준다. 1장당 만 원이다. 조상님 덕이다.

컴퓨터 앞에 앉으면 어깨가 무시로 아프다. 내가 나를 학대하는 것이다. 나의 적은 나다. 나를 이겨내는 힘만이 문단에서 살아남는다.

여기까지 오는데 많은 시간에 공을 들였다. 그리고 메모하는 습관이 몸에 배어 있다. 작가는 자연이 하는 말을 잘 알아채야 한다. 사소한 것도 살펴보아야 길이 보인다. 글쓰기는 괴테의 말처럼, "자기 자신을 지배하는 힘"이라 생각한다.

# 달빛 같은 문장, 별 같은 구절

서울에 볼일이 생겨 전철 사당역에서 환승하기로 했다. 스크린도어에 역량 있는 시인들의 시를 2편이나 부착해 놓았다. 한번 읽어 보는 것만으로도 공부가 되었다. 큼직한 글자와 운치 있는 글귀들을 가슴에 새기며 눈을 반짝이게 했다.

한자 사전에 있는 '월장성구月章星句, 달빛 같은 문장과 별 같은 구절'의 글귀들은 나를 사뭇 들뜨게 했다. 그리고 심장에 작은 울림이 일었다. 유익하다 못해 너무 아까워서 천천히 음미하며 느리게 읽곤 한다. 매연이 사방 천지에 흩날려도 상관하지 않고 또렷하게 붙어 있는 저 기상이 참으로 의연하다.

월장성구, 달빛은 달에서 지구로 비치는 빛이다. 빛은 달에서 생성된 것이 아닌 햇빛 일부를 달 표면이 반사해서 생긴 것이다. 그리고 문장이란 생각이나 감정을 말과 글로 표현할 때 완결된 내용을 나타내는 최소의 단위, 주어와 서술어를 갖추고 있는 것을 말한다.

나도 자연을 좋아하여 이렇게 저렇게 묘사해 보지만, 더구나 시를 쓰기란 여간한 솜씨 가지곤 안 된다. 시 공부하면서 시를 써 보겠다고 껍죽거려본 적도 있지만, 시인되기는 어렵다. 그래서 죽자하고 산문만 쓴다. 크게 크게 배워 작게 써먹고 있다.

속담에 '수제비 하는 놈이 국수 못하랴' 했다. 어느 한 가지 일에 능숙한 사람은 그와 비슷한 일도 잘할 거란 뜻이리라. 나는 그때가 언제가 될지…. 글을 쓰고 써도 갈증만 생긴다.

시 공부할 때 배운 원관념·보조관념은 원관념의 의미 혹은 전달하고자 하는 속성들을 효과적으로 전달하기 위해 원관념과 이질적 대상인 보조관념을 활용함으로 새로운 이미지와 의미를 발견하고 통합하는 기능을 한다.

반복 어법은 수사법 중 강조법의 하나로 한 문장이나 문단 안에서 같은 단어나 어구 또는 문장을 반복함으로써 감정적 호소와 효과를 높이는 구조, 문장의 기법인 수사 등을 말한다.

의인화는 사람이 아닌 것을 사람에 견주어 표현한 것, 사람이 아닌 것에 사람처럼 생명과 성격을 부여하는 것이고, 활유법은 무정물을 감정이 있는 유정물처럼 표현하는 수사법이고, 그 밖에도 가장 강조하는 낯설게 하기, 반전의 기법 등이 있다.

달빛 같은 문장은커녕 햇빛 같은 문장도 못 쓰고 있다. 그래서 늘 나에게 글은 고프다.

# 달빛 한 스푼

내일이 보름이라 달이 저리도 밝은가. 가을 달은 밝은 빛을 드날리고 있다. 오늘따라 미세먼지 한 점 없으니 창공이 드넓기만 하다. 불면의 가을밤, 달은 아무 일 없다는 듯이 높이 떠서 사방을 밝혀 주고 있다. 구름 한 점 없는 초저녁 도시의 하늘이 신비롭기만 하다. 그래서 가평에 사는 동서에게 핸드폰 사진을 찍어 전달했다.

해는 져서 어두운데 보름달이 하늘 가득 둥글게 떠 있다. 홍성에서 정월 대보름을 쇠던 때가 그리워 고향하늘을 본다. 고향하늘에도 이다지 밝은 달이 떠 있겠지. 어린 날의 코흘리개 그 친구들은 다 어디 가고 나 혼자만 달을 감상하는가. '달을 한 스푼' 쭉 퍼서 고향으로 보낼 수만 있다면 얼마나 좋아할까.

60년대 고향에서 언니 오빠들을 따라 밤마다 모여 4H 활동을 했던 적이 있다. 깡촌에서는 정보 교환을 마땅히 나눌 수가 없었고, 달랑 트랜지스터 하나로 세상 돌아가는 걸 귀담아들어야 하는 어둠 속에 살았다.

4H란, 명석한 머리(지육), 충성스러운 마음(덕육), 부지런한 손(노육), 건강한 몸(체육)을 바탕에 두고 사회 일반생활 개선과 기술개량을 목적으로 하는 농촌 청소년이 하는 조직과 지식 클럽이다.

훤한 대낮에는 농사 일들을 돕고, 땅거미가 내리는 어둑신한 달밤엔 사회생활을 미리 공부하는 것이다. 공동생활과 단합도 익혔다. 토론이 끝나고 모두 뿔뿔이 흩어졌다. 집으로 가는 길은 혼자이더라도 적적하지 않았다. 달이 나를 따라오기에, 함께하기에 무섭지 않았고 쓸쓸하지도 않았다.

평소 외딴집에 살던 나는 그 너머 동네 친구네 마실이라도 가려면 나지막한 산을 하나 넘어야 사람을 만날 수 있었다. 식구들은 이미 꿈나라로 갔고, 밤잠이 없는 난 움직이기를 좋아했다. 어쩌다 달이 없는 그믐밤이면 실컷 놀다가 산등성을 넘어올 때는 정말 무서웠다. 머리카락이 쭈뼛 서기도 했다. 소쩍새는 솥이 작다고 소쩍! 소쩍! 왜 그리 울어 대는지,

"올해는 풍년이 들려나 보다." 소쩍새가 솥이 작다고 울면 풍년이라 그런다고 어른들은 점을 쳤다.

쾌청한 날의 보름밤, 맑고 밝은 푸른 하늘에서 푸른빛을 발하는 달빛은 기분을 좋게 한다. 마치 맑은 날 햇빛 선탠을 하듯 문탠도 약이 된다. 기분이 처질 때엔 올려 주기도 한다.

60년대의 지, 덕, 노, 체는 네 잎 클로버 바탕에 자연과 도시를 이어 주는 상징이었다.

지육은 지적이란 교육을 통하여 육성하고 지식을 습득하기 위한 교육을 말한다. 덕육은 도덕성 즉 도덕적인 성격 또는 생활 태도를 육성하여 사회의 관습에 적응할 수 있도록 지도하는 교육적 성격을 띠고 있다. 노육은 부지런한 손, 사람이 부하게 되고 가난하게 되는 것이 부지런함에 달려 있다고 가르쳤다. 체육은 인간의 신체적 활동을 통하여 근육을 단련하고 사회가 요구하는 완성된 인격을 만들려는 교육적 적용인 것이다.

지나놓고 보니 그때 받은 것들이 객지 생활에 많은 도움이 되었다. 가정에서 받을 교육이 있고 사회에서 단련 받아 깨닫는 일들 모두 4H에서 배운 기본기를 가지고 살아왔기에 큰 실패 없이 한 생을 살 수 있지 않았나 돌이켜본다.

어려서는 부모님의 혹독한 밥상머리 교육, 커가면서는 스승님들의 훈련이 있었기에 여기까지 올 수 있었다. 늙어가면서는 우리 아이들을 끊임없이 가르쳐야 하나, 잔소리는 맘대로 되지 않고 그나마 행동으로 보여 준 것이 다행이라 생각한다.

지금도 우리 가족은 뭉치기를 잘한다. 모두 모이면 10명이나 된다. 주로 아이들 교육에 대해 화제를 맞추고 있다. 수필 쓰기를 가르치지 않았어도 훈련이 잘되어 일기나 문자 SNS를 통해 제법 잘한다.

요즘에는 유아원에서부터 일찍이 단련된 솜씨들이다. 대학 입시생 민승이나 초등생 채윤이 2학년짜리까지. 논술도 하나의 재능이다. 교육은 참으로 신기하다. 스펀지에 스며들 듯 흡수하는 걸 보면 나쁜 유전자는 아닌가 싶다.

고향에서 바라보던 깨끗한 달은 아니더라도, 그래도 오늘만은 낮에 미세먼지가 없는 날이라 행복한 보름밤이다. 달빛 한 스푼 가득 떠서 친구들에게 보내고 싶다. 보름달을 혼자 바라보다 잠을 청해본다.

# 백성을 깨우쳐주신 임금님

얼마 전에 종영된 TV드라마, 「뿌리 깊은 나무」를 재미있게 시청했다. 역사극이면서 지루하지 않고 현대감각에 맞게 각색해서다. 우리나라 국민이라면 누구나 시청하여 훌륭하신 세종대왕의 그 큰 업적을 기렸으리라 믿는다.

세종은 태종대왕의 4남 4녀 중 셋째 아드님으로 태어났다. 첫째 양녕대군 둘째 효령대군 두 형님을 제치고 보위에 올랐다. 어려서부터 뛰어난 영재였더라도 두 형님을 밀어내고 왕위에 오르셨음은 적잖이 불편하셨으리라 짐작이 간다.

충령께서는 어린 시절부터 책을 좋아하고 과학과 음악을 좋아하였다. 세종대왕은 1397년~1450년 그러니까 겨우 53년의 생을 살면서 너무나 많은 업적을 남겼다. 많은 연구와

과중한 업무로 '소갈증'까지 달고 살았으니 얼마나 고생이 많으셨을까.

한 나라의 왕이 되기까지는 다방면에 훌륭한 인품이 있어서다. 하지만 그 왕을 보필할만한 신하를 잘 만난다는 것은, 어쩌면 하늘이 도우셨는지도 모른다. 황희 정승과 맹사성은 둘도 없는 심복이었다.

훈민정음 창제, 농업 관련 책 편찬, 과학기구의 발명, 아악을 연구하는 데는 천재적인 신하들이 늘 옆에 있었다. 훈민정음을 만들 때 정인지, 성삼문, 하위지, 신숙주, 박팽년 등의 도움으로 1443년에 연구에 연구를 거듭해 반대하는 신하들이 있었음에도 불구하고 3년 만에 반포했다.

중국글자인 한문은 뜻글자로 쓰기도 어렵고 배우기도 어려웠으나, 한글은 소리글자로 발음으로 나오는 대로 쓰는 너무나 과학적인 글자가 되었다. 사람이 소리를 내는 기관인 입, 혀, 입안, 목구멍, 하늘과 땅, 사람의 모양을 본떠 만든 훈민정음은 유네스코 세계기록 유산으로 지정되었다.

또 농업 관련 책을, '정초'라는 신하와 편찬을 하셨다. 조선은 농사를 근본으로 하였기 때문에 백성의 생활을 안정시키기 위해서는 농사가 중요했다. 그래서 세종대왕은 농업생산을 늘리기 위해 우리나라의 토지와 기후에 맞는 농사법을 담은 『농사직설』을 편찬하였다. 세종대왕의 노력으로 백성들은 이전보다 발달한 농업기술로 농사를 지을 수 있게 되었다.

그리고 과학기구의 발명에 장영실과 주력했다. 과학 분야에도 관심이 많으셔서 장영실과 몇몇 사람이 함께 물이 흐르는 것을 이용하여 스스로 소리를 내서 시간을 알리도록 만든 자격루(물시계)를 발명하였다. 태양의 일주운동을 이용하여 대략의 시간을 알도록 만든 장치, 앙구일부(해시계)와 천체의 운행과 위치를 관측하던 장치인 혼천의(천체관측기구) 등을 만드셨다.

중국의 역법을 참고하여 조선 시대에 맞는 천문서적인 『칠정산』을 펴내셨다. 이와 같은 과학기구의 발명으로 백성들은 시간은 물론 절기와 계절을 확실하게 알 수 있게 되었고, 이것은 만백성의 일상생활과 농사짓는 일에 많은 도움을 주었다.

또 인쇄기술이 발전하면서 갑인자를 비롯한 다양한 금속활자가 만들어졌다. 갑인자는 활자의 모양이 네모나고 조판의 조립 형태가 정교하여 한 번에 많은 양을 찍어 낼 수 있었다.

음악에도 조예가 깊어서 '박연'과 더불어 모든 음 체계의 바탕이 되는 '기본율관'을 제정하고 앙상블에 필요한 미비된 악기들을 새로 만들었다. 음악을 전담하는 기구를 설치하여 아악을 정리하게 하셨던 것이다. 아악이란 옛날 우리나라에서 의식 따위에 정식으로 쓰던 궁정용 고전음악을 말한다. 새로운 음악을 기록하는 악보도 처음 창안하는 등 위대한 업적을 남겼다.

세종대왕의 업적은 이루 말할 수 없이 많다. 유교 정치 실현과 문화발전을 위해 집현전의 기능을 강화시키면서 학자들과 오랜 동안 연구한 끝에 우리글을 만드심은 대한민국의 자랑이 되었다.

온 백성을 똑똑하고 슬기로운 사람으로 일깨워 주셨다. 그래서 5월 15일 겨레의 스승인 세종대왕의 탄신일과 같은 그 날을 스승의 날로 정하고 온 나라의 스승님들을 기리는 것이다.

무엇보다 천민을 해방시키는 데 힘을 썼을 뿐만 아니라 불교에도 많은 관심을 가지고 문화발전에 힘썼다. 그래서 관악산 연주대를 창건하서, 둘째 형님인 효령대군께 그곳에 머물며 서울을 바라보도록 해주셨다는 설화도 있다.

나도 가끔 문학하는 사람으로서 온전히 한글만을 쓰려고 애쓴다 하더라도 더러, 더 확실한 표현이 필요하면 부득불 한문을 쓰곤 한다. 수필집 저서의 제목도 우리글과 영문을 혼합해 쓸 때가 있다.

무엇보다 해마다 10월 9일 한글날 기념행사로 지역에서는 관악백일장을 치르곤 한다. 문인들은 모여서 백일장심사위원으로 봉사한다. 그럴 때마다 백성의 한 사람으로, 자손의 한 사람으로서 자부심을 갖고 경건한 자세에 임하곤 한다.

세종대왕님께서는 밤낮을 가리지 않고 어리석은 백성들을 위해 한글을 만들어내셨고, 농사일을 깨우치는 데 쓰는 책 『농사직설』도 만드셨다. 과학과 음악을 아끼고 사랑하셔 일찍이 백성을 깨우치신 기개를 닮아 오늘날 우리는 지혜로운 민족이 되어가고 있다. 더구나 세계 곳곳에서 한글을 배우고 있는 나라도 있다니 이보다 더한 복록은 없을 것이다.

역사에 길이 남을 큰 업적을 남기시고 짧은 생을 마감하신 임금님, 다시 한번 머리 숙여 감탄에 마지않는다.

# '화요문학동인회'를 추억하다

문학 모임인 화요문학동인회에 참석하는 둘째 화요일은 아침부터 설렌다. 다른 친목회처럼 몸만 가는 것이 아니고, 작품 품평회에 가지고 갈 원고들을 꼼꼼히 챙겨야 한다.

전날 밤에 수필 한 편이라도 써 놓은 것이 있다면 더 신이 난다. 학생이 숙제를 빠짐없이 해 갈 때의 마음처럼.

밤에 작품을 쓸 때는 기막히게 잘 썼다고 생각하고 머리맡에 놓고 잔다. 아침에 일어나 다시 읽어보면 엉망일 때가 태반이다. 구성과 문장 잇기, 맞춤법, 띄어쓰기가 만만치가 않다. 조합된 글자들을 모두 날려버리는 날에는 허탈한 하루일 수밖에 없다.

12월이라 송년회를 겸한 날이다. 송년회를 매년 조용한 식당 한쪽에서 조촐하게 가졌으나, 이번에는 큰맘 먹고 개인마다 좋아하는 음식 한 가지씩을 준비하기로 입을 모았다. 장소는 우리의 아지트인 '다예원'이다.

김치, 찰밥, 나물, 잡채, 닭강정, 과일, 마른안주 등으로 세분화시켰다. 안산에서 일등으로 나타난 박난영 선배가 김치통을 튼튼한 보자기에 싸들고 나타났다. 그렇다고 시골에서 무작정 상경한 부인네의 모습은 아니다. 김치 담그는 솜씨가 보통을 넘어선다. 위트 넘치는 콩트만큼이나 감칠맛 나게 담아왔다. 성격만큼이나 똑 부러진다.

잡채 담당인 홍미숙 회원도 양푼을 보자기에 싸들고 들이닥쳤다. 장르가 나와 같은 수필이어서 정감이 가기도 하지만 94학번 동기라서 서로 의지하며 지내는 편이다. 고향이 화성 태생이라 그런지 그녀는 늘 시골 냄새를 달고 다니며 풍겨 주니 고향 친구 같은 분위기다. 잡채 맛도 튀지 않고 수수하다. 사람 수보다 훨씬 많은 양을 해서 싸들고 왔다. 말씨도 솜씨도 언제나 푸짐하다.

언제 보아도 시인답게 말수가 적은 조동례 회원은 찰밥을 압력솥째로 들고 왔다. 붉은 팥을 섞고 소금 간을 해서 먹기에 좋았다. 나이보다 훨씬 성숙한 솜씨였다. 멥쌀과 달리 찹쌀로 밥을 하기란 여간 어려운 것이 아니다. 물 조절을 자칫 잘못하면 밑에선 타고 위엔 생쌀일 때가 허다하건만.

매사에 야물딱진 이희복 선배는 학교에 근무하면서 바쁜 시간을 쪼개어 닭강정을 근사하게 해왔다. 맛은 기가 막혔으나 조리 시간을 너무 오래 잡아 어찌나 딱딱하던지 부실한 내 이가 빠지는 줄 알았다.

김성금 선배는 과일을 골고루 사 들고 왔다. 평소 모임에도 원고료를 받으면 혼자 슬쩍하는 법이 없다. 꼭 한턱을 내는 통에 우리의 입을 즐겁게 해줬다.

뺄 수 없는 메뉴 중의 메뉴, 술, 술하면 이숙희 선배가 꼭 잡고 있다. 선생님이 즐겨 드시는 맥주, 선배 자신이 좋아하는 '쐬주'를 한 아름씩 들여온다. '들고는 못 가도 먹고는 갈 수 있다'는 말처럼 '세다판'이다. 주량이 세기도 하지만, 풍류를 즐길 줄 아는 작은 거인이다. 말은 선생님을 접대한다면서 정작 선생님 잔은 늘 말라 있다. 선생님과 대작을 잘하는 강현자 회원도 주량이 세기는 마찬가지다. 웬만한 술자리가 있는 곳에 그녀가 있다.

꾀부리기 좋아하는 나는 손이 덜 가는 술안주를 맡았다. 수삼을 알맞게 썰고 대추도 씨를 발라서 잘게 썰어 밤과 꿀에 버무려 내놓았다.

언제나 우리에게 만남의 장소를 제공해 주는 박정임 회원은 삼색 나물을 먹음직스럽게 해서 내어놓았다.

서울 상계동으로 이사 간 조선 시대 여인 같은 김성자 선배도 눈웃음으로 인사를 대신한다. 선생님 담배 담당인 홍경임 회원도 화사한 얼굴로 들이닥쳤다.

분당에서 오는 바바리코트가 잘 어울리는 권오숙 선배와 양윤덕 회원까지 모두 도착했다. 한 사람씩 음식을 해 들고 들어오는 우리에게 선생님은 한 말씀하셨다. "꼭 거지들 동냥하고 오는 것 같구먼" 하신다. 안면 가득 흐뭇해하시며 "우리가 거지면 선생님은 거지 왕촙니다" 하고 언어의 마술사들은 왕왕거렸다.

그랬다. 하루쯤 동냥아치가 된다 해도 행복한 거지들이었다. 불과 삼십여 분만에 훌륭한 잔칫상이 되었다. 이보다 더 훌륭한 송년회는 없을 것이다. 머리 맞대고 음식을 먹을 때 정이 든다고 그날 이후 더 많이 가까워졌다.

우리들이 가장 귀여워해 주는 막내 97학번의 김미자 회원은 '사진사' 노릇을 잘한다. 언제나 그러하듯이 모이면 세상 돌아가는 얘기가 주종을 이룬다. 신춘문예 작품을 소재로 시작해서 이달의 베스트셀러는 무엇인지. 이런 장면들을 카메라에 담느라고 바삐 움직인다.

사십 줄이 넘어서야 동인회에 발을 들여놓던 날이 기억난다. 안양시에서 주관하는 백일장이 있던 날에 화요문학회도 있다는 것을 알게 되었다. 그때서야 김대규 선생님을 처음 뵙게 됐다. 지면으로만 존경하던 선생님을 가까이에서 뵐 수 있었다.

암하고불巖下古佛, 바위 아래 부처 같은 최영희 선배에게서 풍기는 이미지가 가장 인상적이었다. 앉아만 있어도 시어詩語들이 흘러넘친다. 언제 보아도 거제도 새악시 같은 신장련 선배의 시를 많이 좋아한다. 소설가인 백종선 선배에게서도 얻은 것이 많았다. 살아온 햇수가 '빵빵'한데도 수많은 글자와 씨름하는 열정을 배웠다.

내가 문학이라는 문구를 늦게 알게 된 글쓰기지만 열의는 젊은이 못지않았다. 그러나 열정만큼 좋은 글이 나오진 않았다. 특히나 동인지 원고 마감 날은 주눅이 들었다. 어린아이가 일어서지도 못하면서 뛰어 보려고 하는 꼴이 돼 갔다. 그럴 때마다 용기를 주었던 백윤경 회원이 고맙기만 했다. 그 바쁜 와중에도 습작한 것을 내밀면 부진한 곳을 잘 집어 주며 응원까지 해주었다. 또 한 사람 김성금 선배도 선생님 다음으로 훌륭한 '작은 선생님'이었다.

나는 글 쓰는 재미보다는 봄과 가을에 떠나는 야유회에 관심이 많았다. 자연과 친하게 접하고 싶어도 마땅한 친구가 없었다. 사람을 닥치는 대로 사귀지 못하는 성격 때문에 늘 허전했다. 눈높이 친구가 있다는 것은 얼마나 행복한 일인가. 인생의 또 다른 길을 알아냈다.

다만 화요문학동인회에 대한 아쉬운 것이 있다면 선배들의 개성이 강하다.

수십 년의 관록 있는 동인회라서 그런지, 아니면 선배들 개성이 강해서인지. 너무 무게를 잡는 것 같다. 사실은 나도 인생 선밴데.

"선배님들! 목에 깁스 풀 때 되지 않았나요? 이 늙은 후배 쫄고 있어요. 누가 그러대요. 화요문학동인회가 터가 센 곳이라고. 그렇더라도 기죽지 않고 잘 버티고 있답니다. 얻어터질 각오를 하고 이 말을 합니다요. 화요문학동인회를 빛내지는 못하더라도 누를 끼치지는 않으려고 노력 중이랍니다. 물론 피 나지 않을 만큼만요!"

동인회 일원이 된 지 27년, 그때 그 시절의 화요문학동인회를 추억한다. 시나브로 정이 듬뿍 든 동인들이다. 지금은 명칭이 바뀌어 '안양여성문인회'도 함께 사용하며 43년의 역사를 이어가고 있다.

# 4

가을장마

가을장마

# 가을장마

장마로 인해 피해자들이 속출하고 있는데 비해 복구는 쉽지 않다. 망연자실하는 사람들을 보며 아파트에 사는 것을 감사하게 생각한다.

비는 제주도에서 시작하여 수도권으로 올라왔다. 태풍 '쏠닉'이 올라올까 봐 잔뜩 겁을 먹고 있는데 다행히도 태풍은 그럭저럭 비껴가고 순한 비로 바뀌었다.

핸드폰에는 행정안전부에서 보내는 홍수주의보가 연일 날아와 찍혔다. 절기상으로 입추와 처서가 지났는데도, 장마라니 날씨가 정신 줄을 놓은 모양이다. 어째 여름이 스리살짝 지난다 했더니 요란을 떨고 있다.

우리 속담에 '가을비는 장인 구레나룻 밑에서도 피할 수 있다'고 했다. 그런데 가을비가 만만치 않다. 3일을 내리 밤 낮없이 쏟아져 학의천 물이 하얗게 불어나 거실에서 바라보는 나에게 겁을 주고 있다. '따릉이'(남편)도 낼 자전거동우회에 나갈 수 없음을 서운해하며 개천물만 둘이서 바라보았다. 바람까지 동반해서 오니 공원에 나가 산책도 못하겠고, 은행 볼일도 나중으로 미루고, 병원 갈 일도 주춤거리게 된다. 기상대에서 발표한 예보가 불발된 셈이다.

가을비는 보통 여름 끝 무렵에 시작해 9월 초순까지 내린다. 성질이 다른 한반도에서 충돌해 정체 전선이 생기는데 여기에 저기압이 더해지면 가을장마가 더 거세진다. 거기에 태풍까지 거세어지면 그 피해는 걷잡을 수 없이 커지게 된다. 다만 여름 장마처럼 규칙적이지는 않고 때에 따라 다르게 찾아온다.

가을장마에 온산을 은은한 향기로 뒤덮은 조롱조롱한 보랏빛 칡꽃이 떨어질까 봐 걱정이다. 칡덩굴은 산허리를 살금살금 기어올라 초가을까지 꽃이 피어 있다. 그래서 약수터 가는 길이 좋다. 혼자서 토닥토닥 걸어가는 길이 지루하거나 외롭지 않다.

따가운 땡볕인 날은 그 향내가 온산을 뒤흔들다가 지쳐서 길가로 내려와 산객인 내게 다가와 유혹을 한다. 내 발걸음을 멈추게 만드는 향기다. 보랏빛 어린 이파리, 상순을 따서 코에 대보니 과히 그 향기에 취하게 만든다. 보라색은 여러 가지 꽃이 있다. 연한 라일락이 있고 진한 가지, 자주 감자꽃, 등꽃, 나팔꽃, 팬지 등이 있다.

어릴 적 아버지께서 자루가 긴 곡괭이를 울러메고 산으로 올라가 캐어다 준 칡뿌리가 생각난다. 알이 꽉 찬 뿌리는 작두로 썰어서 여러 남매의 간식거리가 되었다. 칡가루는 녹말이 많아 몸에 좋은 성분이 들어 있다고 자주 캐 오셨다. 길이가 어찌나 긴지 가로의 긴 구덩이를 파야만 비로소 얼마만큼의 뿌리를 얻을 수 있다. 아주 진한 이소플라민을 많이 함유하고 있다. 일찍부터 이미 건강식을 체득한 셈이다. 협심증, 고혈압, 당뇨에 좋다고 동의보감에 기록되어 있다.

이 장마가 끝나면 초겨울이 코앞에 다가올 것이다. 가을비는 아무짝에도 못 쓰는, 농작물만 망치는 비다. 곡식을 거두어들이려면 수확한 알곡들을 볕을 쐬어 말려 주어야 하거늘 다 익은 벼를 논에서 썩히게 생겼다. 그렇다고 일손이 넉넉한 것도 더더욱 아니다. 농사는 하늘이 내리는 결과물이다. 하늘에서 도와주어야 비로소 사람 입으로 들어가는 것이다.

농부의 손은 언제나 신성하다. 어린 벼를 논에 심어서 익기까지는 수없이 많은 노동이 필요하다. 벼 한 톨에 농부의 손이 여든여덟 번이나 가야 쌀이 되어 입으로 들어오게 된다.

　오묘한 우주에 존재하는 온갖 사물과 현상들은 또다시 우리에게 보여줄 것이다. 붉은 단풍의 계절이 다가오면 사람들은 이곳저곳으로 구경 다닐 것이다. 날이 궂은 이 가을은 단풍이 곱게 물드는 것을 방해만 하고 있다.

# 수그리족

우리집 가까이에 사는 친구의 핸드폰이 말썽을 부려 하루
걸러서도 해결을 못하고 초기화했다니 얼마나 답답했을까.
다행히 내 번호가 쉬운 편이라 알아냈다고 개선장군처럼 들
뜬 음성이다.

나와 다르게 그 친구는 가정주부임에도 모든 업무를 잘해
나간다. 카페에 앉아서 은행 송금도 하고 병원 예약도 너끈히
해낸다. 좋은 글도 퍼 나른다.

나는 폴더폰만 쓰다가 스마트폰을 늦게 소지하게 되었다.
겨우 걸고 받는 수준이었다. 문자 보내기와 열어서 읽을 줄
안다. 나중에 안 일이지만 계산기와 날씨, 시계, 국어사전,
가족 번호도 바로 알 수 있게 되었다.

어느 날, 처음으로 출판사에 입금할 일이 생겼다. 일백만 원을 전화 이체하던 날이 생각난다. "십 원 입금되었습니다" 하는 여자음성이 들렸다. 그때 놀란 가슴이 지금도 뛴다.

그래서 큰 금액이나 낯선 이에게 송금할 때는 은행에 가서 하고, 가족에겐 늘 연습하는 자세로 집에서 전화 이체하고 있다. 정보화 시대를 따라잡으려면 나이 탓보다는 배워야 산다.

인터넷을 이용하는 이들이 늘어나 은행갈 일이 없고, 귀 어둡고 눈 어둔 컴맹인 노인들만이 방문하다 보니 은행도 자꾸 창구를 줄여나가고 직원을 감원하는 추세다.

이웃집 나이 든 아줌마가 들려주는 경험담 하나, 은행의 현금인출기에서 오백만 원을 다른 이에게 송금했다가 몇 달 걸려 겨우 찾았다 한다. 이름이 오류가 나서. 키보드 하나 잘 못 누르면 그렇게 된다고. 파출소까지 가서 신고해야 되었고 문제가 커졌다 한다.

가족 모임 날은 자녀들이 으레 우리 두 양주의 스마트폰을 손보아준다. 앱도 깔아주고 등록도 한다.

한참 된 얘기 하나, 처음 구입한 후 작동이 어려워 동네 핸 폰 대리점으로 찾아갔다. 그러나 그들은 차분히 알려주지 않고 휘딱 처리해준다. 그것만이라도 얼마나 고마운 일인가. 정보화 시대에 웬 소리냐고 하겠지만 모르는 건 모른다. 기계치라서.

지금은 연륜 있는 할머니들도 스마트폰을 예사롭지 않게 가지고 다닌다. 아무리 많고 편리한 기능이 있어도 걸고 받는 걸로 족하다. 오히려 폴더폰은 박물관에나 있음직하다.

지하철을 타고 가는 승객들도 자리에 앉아 핸드폰을 들여다보느라고 모두 머리를 수그리고 있다. 그래서 생긴 신조어가 '수그리족'이다. 시선 처리가 어려워서일까. 게임을 하거나 TV를 보거나 카톡을 열심히 한다. 하루 종일 컴퓨터 앞에서 혹사당했을 터인데 집으로 돌아가는 길에도 목과 눈을 혹사하고 있다.

수그리족들이 늘어나면서 '자라목'의 목 디스크에 시달리고 있다. 목이 안쪽으로 굽어들거나 기울어 드는 것이다. 바른 자세가 얼마나 절실한가. 실보다 득이 우세하기에 이렇듯 사용하고 있는 것이다.

모두 정보화 시대에 살고 있음이다. 화상회의도 결혼식 초대장도 핸폰이 대신해준다. 지하철 노선도 얼마나 잘 되어 있는지 나 같은 길이 어두운 사람도 찾아다닌다. 맛집도 검색만 하면 바로 떠서 달려갈 수 있다.

내 폰 속에도 많은 정보가 있다. 전화번호가 400개에 이르고 있어, 하루 날 잡아 공책에 옮겨 적어 놓았다. 행여나 잃어버리거나 먹통이 되면 외우지 못하는 번호인지라.

동네 산책을 나가도 꼭 핸폰을 모시고 다닌다. 암기력 없는 머리라 늘 조심한다. 한적한 공원 벤치에서도 책 대신 핸드폰을 뒤진다. 핸드폰에 밀려 책은 내팽개치고 글 읽는 사람이 줄어들고 있다.

내가 무슨 정보부 직원인 양, 한시라도 놓고 다니면 마음이 불안하다. 지금 대한민국은 거지반 정보부 직원들이다. 저녁이면 여러 개의 카톡방, 문자함 그리고 국어사전도 친절히 가름해준다. 그 덕에 나도 수그리족이 되어가고 있다.

# 관악대로

열대야가 며칠째 계속되니 잠을 설치게 된다. 오늘도 새벽 5시 30분에 깨어 소파에 앉아 뉴스 방송이 시작되기만을 기다렸다. 조용한 신새벽에 꽝 꽈당 꽝~ 하고 집 앞 도로에서 안양 시내가 무너지는 듯 굉음을 냈다. 자동적으로 내 잠도 활딱 깨었다. 얼른 열려 있는 베란다 쪽으로 가서 머리를 내밀고 사거리를 내다봤다. 아, 어쩔까!

승용차가 속력을 다했을 것이고, 마주 오던 자전거는 힘껏 페달을 밟았을 것이다. 충돌하는 순간 자전거는 2개의 바퀴가 튕겨 나가고 사람은 쓰러졌다. 이슬비가 축축이 내리는 땅바닥에 누워 일어나질 못했다. '아야' 소리도 못 하고 당한 자전거 주인은 검은 배낭에 슬리퍼 차림이었다. 서민 한 사람이 또다시 사고 속에 스러져 간 것이다.

승용차 운전기사는 얼마나 놀랐을까. 순찰차가 오고 119 구조대가 사이렌 소리를 자지러지게 내며 한걸음에 달려왔다. 그다음 견인차가 와서 자전거와 배낭을 실어 갔다. 20분 안에 일어난 사건이다. 오가던 차들은 아무 일 없다는 듯 또다시 질주했다.

2003년 12월 31일, 그러니까 16년 전 관악대로 183번지 학운교가 있는 곳으로 이사 오던 날도 첫눈이 꽤 많이 내렸다. 6층에서 밖을 내다보니 약간 비탈진 길에 퇴근하는 차들이 빙그르르 미끄러지고 있었다.

신고 정신이 투철하여 비산지구대에 신고하니 여러 명의 교통경찰이 나와 모래와 염산을 뿌려주어 그날 저녁 사고 없이 차량이 꼬리를 물듯이 잘 다녔다. 이곳은 여간해서 사고가 없는 지역이다. 다만 소음이 있을 뿐이다.

종합운동장 옆 건물에 비산소방서가 있어 안양 시내에 불이 나거나 인명을 구조할 일이 생기면 119차가 출동하는 것이 다 보이고 들린다. 신경이 예민한 난 보금자리가 아니라 상황실에 앉아 있는 것 같다.

특히나 여름철엔 창문을 열고 살기에 자연적으로 소음에 노출되어 있다. 그래도 승용차 없이 살아가기엔 너무 편리한 곳이다. 엘리베이터에서 내리면 바로 가락마트가 있고 그 옆에 버스정류장이 있어, 서울 버스와 마을버스 노선이 다섯 대나 된다. 5번, 5-1, 5-3, 6-2, 7번이 있다. 길 건너가 평촌이라서 병원도 가까이에 있다. 그래서 우리는 이곳을 떠나지 못하고 살아간다.

아이들이 다 커서 세간을 나니, 학교가 멀고 가까운 게 상관은 없다. 하지만 꿈나무들이 우글거리는 샘모루초등학교와 안양교통부지 쪽으로 올라가면 비산중학교가 있다. 집 앞쪽의 관악대로 건너엔 경기글로벌통상고등학교가 있고, 그 옆에 달안초등학교가 있어 운동장에 나와 고물대는 고것들을 보면 희망이 넘친다.

비산3동은 종합운동장이 있어 체육로로 불릴 만큼 시설이 많다. 게이트볼장이 있어 노인들이 체력을 다진다. 비산중학교 옆으로 큼직한 축구장과 롤러스케이트장이 있고, 운동장 사거리는 먹거리촌을 형성하고 있다. 밤에 종합운동장에 서치라이트가 환하게 켜진 날이면 남편과 축구 경기 보러 가는 것도 꽤 재미지다.

'숲세권' 아파트는 아니지만, 거실에서 내다보는 야경은 제법이다. 아파트가 숲을 이루는 범계역 부근의 밤 경치는 환상적이다. 범계역에 백화점 하나가 사라지고 38층 오피스텔

이 들어섰다. 밤이면 밤마다 빌딩처럼 높은 아파트에 일렬횡
대로 켜져 있는 비상등이 풍경 중의 풍경이다.

앞으로 운동장 사거리에 비산역이 생긴다고 들썩이고 있
다. 그러면 더 편리해져 생이 다하도록 살아갈 것 같다. 나는
날마다 기도한다. 가족들의 건강과 관악대로 183번지 사거리
에서 질주하는 자동차들의 무사고를 위해서.

# 건망증과 상식

건망증은 기억력의 장애다. 보고 들은 것을 금방 잊어버리거나, 어떤 시기 이전의 일을 기억하지 못하는 등의 증상을 말한다. 사회생활하는데 필요한 지능, 의지, 기억 따위 정신적인 능력이 상실된 상태를 치매라고 한다.

건망증에 얽힌 어느 할머니의 이야기가 생각난다. 아들 결혼식 날 아침에 머리를 손질하러 미장원에 들렀다. 헤어드라이만 한다는 것이 그만 까맣게 잊어버리고 미용사의 제의에 따른 것이 화근이 되었다. 미용사는 머리를 잘라주며 "오신 김에 파마까지 아주 하고 가시죠" 했다. 할머니는 잠시 후에 있을 아들의 예식을 잊어버리고 무심결에 "그럽시다, 미용사님이 알아서 해주그려" 하였단다. 아무렇지 않게 승낙해 버리고 허락한 것이 그렇게 큰 사건이 벌어질 줄 몰랐다.

아들과 가족들은 어머니가 나타나기만을 눈이 빠지게 기다려도 머리 단장하러 간 어머니는 오지 않았다. 여자 혼주들이 화촉을 밝히는 순서에서부터 뒤둥글어졌을 것이다. 예식이 다 끝나고서야 아차 오늘이 아들 결혼식이지 하고 생각이 났단다. 건망증이 이만하면 도가 지나치다 할 수 있겠다.

상식 부족으로 인한 나의 이야기 서너 가지를 고백한다. 단추 이야기와 컴퓨터에 들어 있는 디지털시계 이야기, 핸드폰 얘기다.

약수터에 올라갈 때마다 입는 빨강 등산점퍼에 모자가 달렸다. 뗐다 붙였다 할 수 있게 지퍼를 달아 놓았다. 양 끝에는 아주 작은 단추를 달아서 고리에 끼우게 되어 있어 참으로 편리하게 만들어 놓았다. 그 점퍼는 십여 년을 입어서 많이 낡은 옷이다.

그런데 이제야 그 단추를 발견했다는 것은 그동안 얼마나 불편하게 이용했을까 참으로 창피한 노릇이다. 그동안 점퍼를 입으면 모자가 자꾸 뒤로 쏠려서 디자이너에게 많이 불평하며 입었다. 어떻게 이따위로 옷을 만들었을까 하고. 옷이 해지도록 입고서야 고 야문 센스에 찬사를 보내게 되었으니 아둔한 나에게 실망하고 말았다.

또 한 이야기는 사용치 않는 구형 핸드폰으로 라디오 방송을 듣고 있다. 언제나 폴더를 열어야 스피커에서 울리는 소리가 잘 들리는 줄 알고 줄창 열어서 점퍼 주머니에 넣고 방송을 듣곤 했다. 주로 저녁밥 먹고 공설운동장으로 산책을 나갈 때 그리했다. 폴더를 닫으면 잘 들리지 않을 것 같아서.

그런데 몇 년이 지난 시점에서 그것을 터득하게 되었다. 당연히 폴더를 닫아도 아무 지장 없이 음향이 잘 울려 퍼졌다. 난 왜 이렇게 기계치일까, 정말 창피하기 이를 데 없다.

또 컴퓨터 워드 작업을 하다가 일부러 시계를 보려면 거실로 나가보곤 했다. 컴퓨터방의 동그란 벽시계가 건전지가 다 되었는지 노상 멈춰 있다. 자주 들어가는 방이 아니라 글을 긁적일 때만 출입을 하는 방이기에 대수롭지 않게 여기며 그냥 불편하게 살았다.

그런데 어느 날 컴퓨터 모니터 오른쪽 맨 아래 구석에 깨알 같은 숫자가 보였다. 그것은 어느 시계보다 정확한 디지털시계였다. 젠장 누구 놀리는 거여. 돋보기를 쓰지 않으면 보이지도 않을 만큼 작은 숫자이니 알아먹을 장사가 있나. 그뿐인가 개인 컴퓨터를 처음 대할 때의 웃지 못할 일도 있었다.

처음에는 고가이어서 사지 못하고 전화국에서 하이텔 통신을 빌려다 썼던 적이 있었다. 지금도 그때를 떠올리면 부끄러워진다. 어찌어찌하여 난생처음 내 컴퓨터를 갖추고 쓰게 되었다. 맨 처음 켜면 바탕화면이 나온다. 내가 좋아하는 녹색 잔디밭에 파란 하늘에는 하얀 뭉게구름이 뭉게뭉게 떠 있는 게 너무 기분이 좋았다.

그런데 친정집에 가서 거실에 있는 컴퓨터로 인터넷을 하려고 PC를 여니 집에 있는 그 화면이 떴다. 신기해서 조카에게 말했다. "어~ 우리집 컴퓨터하고 똑같구나" 했더니 조카가 하는 말 "인터넷회사 '다음'은 다 그래요" 했다. 그때서야 내 머리통을 내가 한 대 치고 말았다.

그렇다. 모든 사물은 자세히 보는 눈이 있어야 불편하지 않다. 그냥 데면데면 넘어가고서 상식이 부족하니 건망증이니 치매니 하고 타령하고 있다.

발명가나 특허출원을 하는 사람들은 모두 세밀하고 센스 있는 사람들이다. 그렇듯이 이용자에게 편리함을 많이 제공하고 있건만 그런 것들을 이용하지 못하는 것을 보면 난 참으로 아둔한 사람이다.

글을 쓸 때나 미처 남들이 보지 못하고 생각지 못하는 것을 생각해 냈다고 으스댔으니 헛발을 디딘 것 같다. 천문학자가 날마다 밤하늘만 쳐다보고 별을 연구한답시고 뒷걸음치다 똥독에 빠졌다는 이야기와 다를 게 없다.

누구든지 자기 분야에만 심취해 있다 보면 턱밑에 있는 것은 보지 못하는 것이다. 아무리 사람의 두뇌가 컴퓨터처럼 정교하고 용량이 크다 하여도 나이 들어감에 뇌의 모양은 쪼그라들게 되어 있으니 참으로 큰 비극이다. 될 수 있으면 뇌를 자꾸 회전시키는 연습이 필요하다. 길을 걸으면서도 기도문을 외우곤 한다. 기억력의 강화를 위해서.

# 둘레 사람들

오늘은 우리 아파트 외벽에 페인트칠하는 날이다. 용역업체 인부는 페인트 통을 옆구리에 찬 채 한 층씩 칠하며 게걸음 질하여 내려간다. 길게 늘어트린 팽팽한 밧줄 그네에 온 생명 을 걸고 평지에 서 있는 사람처럼 의연하니 말끔히 칠을 하 며 한 칸씩 하강한다.

겉으로 보기엔 날렵해 보였지만 몸을 밧줄에 의지해 오래 버티며 배겨내고 있었음인지, 땅에 내려와서는 어지러운 듯 두 무릎 속에 얼굴을 묻고 있어 딱해 보였다. 페인트 냄새가 좀 고약하던가. 내가 생수 한 병을 갖다주니 벌컥벌컥 들이켰 다.

우리 살아가는 언저리엔 필요한 일손이 한두 가지가 아니다. 높은 곳의 새 단장을 할 때도, 유리창 물청소는 보통 사람이 할 수 없는 특수 직업이다. 그야말로 생명보험 가입도 꺼리는 위험직인 것이다.

힘들고 어려운 직업이 그뿐이랴. 아파트 옥상의 저수조에 들어가 물탱크 청소를 비롯하여 땅바닥에 있는 정화조의 오물 수거는 얼마나 힘든 일인가. 사람 사는 세계의 직업은 헤아릴 수 없이 많다.

조선 시대엔 동물을 도축하는 일도 그랬다. 양반가에서는 소, 돼지를 잡아 판매를 업으로 삼는 백정과는 혼인도 하지 않았다. 백정의 하대가 얼마나 심했던지 사는 집에 기와도 올리지 못하게 하였고, 또한 명주옷과 망건도 갓도 가죽신도 신지 못하도록 금했다. 가족의 상을 당해도 상복도 입지 못하게 할뿐더러 상여도 못쓰게 했다.

또 옛날에 승려도 지금처럼 대접을 받지 못했다. 두부 만들기나 양반가의 가마 메기, 산성 쌓기에 승려로 조직된 군대에 들어가 일을 하며 수많은 부역에 시달렸다. 사회 밑바닥에서 무거운 무게를 몸 전체로 감당했던 천민들의 아픔이 느껴진다.

무엇보다 가장 큰 일은 사람이 죽으면 뒤처리를 잘해주는 장례사가 어려운 직업인 것 같다. 수시, 염습, 죽은 사람의 몸을 씻긴 뒤에 발톱과 손톱을 잘라주고 죽어서 뻣뻣해진 사람에게 겹겹의 수의를 입히고 염포로 묶는 일은 자식이 할 수 없는 어려운 일이다.

그 밖에도 생선 장수, 채소 장수, 생수 배달원, 화장실 청소원, 운전기사, 술장사, 밥장사, 미용사, 이발사, 이삿짐센터 등 손가락으로 헤아릴 수 없이 많은 사람이 둘레에서 일하고 있다.

옛날 같으면 천민들이 종사하던 노비, 기생, 광대, 무당, 상여꾼, 기와장이들은 멸시를 당했다. 그야말로 극한직업으로 인하여 천대를 받으며 살았다. 이제 세상은 하루가 다르게 변하고 있다. 학사로 졸업한 이가 환경미화원을 하는 처지에까지 왔다. 물질만 풍부하면 개나 소나 모두 얼굴 성형을 하고 화장발로 신분 상승을 하고 있다.

그래서 진품을 찾기란 아주 어렵게 되었다. 오리지널인지 모조품인지를 알 수 없으니 가짜가 더 판을 치는 세상이 되었으니까.

그리고 직장을 다녀도 부업으로 투잡이나 쓰리잡을 하는 사람들이 꽤 많은 걸로 알고 있다. 아무래도 한 가지 일만 해서는 가족의 부양을 책임질 수 없음에서도 그렇거니와 빠른 몸놀림과 두뇌의 회전이 잘되어 그리하는 사람도 있으리라.

행복의 지수는 손에 가진 것이 많을 때 이루어지는 것이리라. 체면 때문에 주위의 시선 때문에 이리 망설이고 저리 망설이다 보면 죽도 밥도 안 되는 것이다. 그래서 아무것도 거칠 것이 없이 막 벌어먹기로는 해외로 나가는 것이 나은가 보다. 도피하듯 이 나라를 빠져나가는 사람들도 있다. 빠른 성패를 보려면 쉽게 접할 수 있는 것이 장사라고. 자영업을 택하는 것 같다.

아는 사람 많은 내 나라 안에서는 시시한 직업을 마다하지만, 생면부지의 먼 나라에서는 그것이 무슨 상관이냐며 두려울 게 없는가 보다. 직업엔 귀천이 없다고, 아무리 세상이 바뀌고 돈이 양반이라며 세월이 좋다고들 하지만 아직도 고정관념의 틀을 벗어버릴 수는 없다.

뼈대 있는 집안과 '물렁뼈 집안'은 드러나게 돼 있다. 말본새나 예의범절이 남다른 것이다. 그래서 직업을 색깔로도 표현하고 있다. 블루칼라, 골드, 그레이, 화이트칼라로. 즉 블루는 청색 작업복을 입고 생산과 서비스업에 종사하는 육체가 건강한 사람들이고, 골드는 정보통신과 소프트웨어 개발자로 몸을 쓰는 것보다 머리만 쓴다. 그레이는 컴퓨터가 보급되면서 화이트와 간격이 좁혀지고 있다. 무시로 어깨통증을 호소한다. 화이트는 명목상으론 육체적 일을 하더라도 실제

론 상품생산과는 전혀 무관한 책상을 지키는 신중산층 계급의 핵심세력이다. 보수성을 띠며 권위주의적 경향을 내포하고 있다. 하얀 셔츠에 넥타이 매고 사무실에 앉아 전문적으로 하는 연구원이나, 문서 따위를 처리하는 사무원을 그저도 우리는 부러워하고 있다.

대학 강단에서 머릿속에 든 전문 학식을 남에게 전달하는 교수나, 병원에서 환자치료를 위해 구성된 보건복지부의 면허를 받은 의사도 선망의 대상이다. 또 법보다 인정이 먼저라 하지만 복잡한 환경이라, 법이 없으면 큰 혼란이 오기에 변호사, 판사, 검사는 꼭 우리 곁에서 만인을 보호해야 한다.

금융권에서 근무하는 사람들은 이 시대의 양반이며 선비라 할 수 있겠다. 직업이 참하면 생각도 긍정적이고 의복도 갖춰 입게 되고 남이 보아 안정적으로 보인다. 생계를 위하여 자신의 적성과 능력에 따라 일정한 기간 계속 종사하는 일인 것이다.

그렇게 따지기로 하면 예술인만큼 행복한 사람들도 없다. 물론 배는 고프지만 자기의 창의력으로 자기 좋아서 하는 행위니까. 나를 포함한 예술가들은 '배부른 돼지보다 배고픈 자유인'을 주창하며, 영혼이 자유로운 사람 되어 보려고 신세를 들들 볶아치며 밤을 낮처럼 쓰는 사람들이다.

우주가 잠들어 있는 어둑신한 저녁에 신이 내려 영혼을 지배한다며 너스레로 능청을 부린다. 밥이 끓는지 죽이 끓는지 모르는 이들이 예술인이다. 양반 문자 쓰다 저녁 굶는다고 했다. 하지만 모두 책상을 지키기만 하면 세상이 제대로 돌아갈 수가 있을까.

'밥이 분'이라고 상, 반을 떠나 밥을 먹어야 양반이고 행세를 할 수 있게 된다. 열악한 환경에서 나쁜 공기를 마시며 자기의 본분을 다하는 둘레 사람들이 있어 오늘도 우리는 편안히 살아갈 수 있다.

아파트 외곽 벽 밧줄 그네에 몸을 지탱해 박쥐처럼 매달려, 신나 냄새로 정신이 혼미할 정도로 칠을 해대는 인부들 모습이 맘속에 오래도록 애잔하다.

# 단일민족

현금지급기 앞에서 필리핀인으로 보이는 가냘픈 젊은 여자가 겁먹은 얼굴로 서성이고 있다. 나도 볼일이 있어서 다가서니 도와달라는 눈빛이다.

캐시카드를 지급기에 넣고 다음 순서를 기다렸다. 비밀번호 입력과정에서 두 사람은 머뭇거렸다. 내가 그 속내를 알아내고 "아라비아 숫자" 하니까 웃으며 얼른 고개를 끄덕인다. 키보드를 후다닥 눌러서 돈을 찾아가지고 내빼듯 사라진다.

나의 일가, 오빠도 서독 광부로 일하러 멀리 간 적이 있었다. 그래서 외국인을 보면 내가 아는 한 도와주고 싶다.

우리나라에서는 초라해 보이지만 그래도 자기네 나라에선 고등교육 이상은 받았을 것이다. 이렇듯 우리나라도 단일민족이 아니다. 일찍이 가야국의 김수로왕은 인도 여자 허광옥 여사를 아내로 삼았다. 그리고 이승만 대통령이 미국 여성을 데려와 퍼스트레이디로 맞아들였으니, 거슬러 올라가 보면 아주 옛날부터 우리는 단일민족이 아니란 것을 알 수 있다.

화산 이씨의 시조는 베트남으로, 베트남에서 황해도로 왔다고 한다. 매년 외국인이 20만 명씩 유입되고 있다. 이제는 다양성을 존중할 때다. 개념조차 혼동되어 가고 있는 것은 아닐까. 다른 나라 젊은 처녀들이 이 나라에 들어오지 않으면 늙은이만 우글거리고, 아기도 낳지 않고 노동력도 떨어질 게 뻔하다. 거기다 노인 대접도 못 받으며 서럽게 살아갈 수밖에 없으리라.

정부에서는 비혼이 늘고, 젊은이들의 저출산으로 인해 고령화 사회로 치닫고 결국에는 거대한 양로원으로 변해가는 상상을 하고 있다.

단일민족이 아닌들 어떠랴. 복합 민족으로 이 나라를 이끌어가는 수밖에 없다. 그래서 또다시 우리는 통일이라는 단어를 절실하게 떠올린다. 전쟁 없는 흡수통일이면 얼마나 좋을까. 그것이 어렵기만 해서 안간힘을 쓰고 있는 것이다. 한국 사회는 땅덩이가 작은 관계로 오래전부터 다문화사회였다.

서양 문화, 동양 문화, 이면 다문화, 몽골족 등으로 모여 한

나라를 이루고 있다. 단군신화는 역사일 뿐이다. 어느 나라든지 고대 건국은 신화적으로 써지게 된다. 역사를 말하는데 뭐가 문제일까. 그리고 다문화라도 나라의 구축은 한국인이다. 그래서 그들도 한국에 오면 한국인이 되어야 한다. 즉 한국의 역사를 배우며 살아가야 한다. 우리 민족도 세계 도처에 나가 다른 나라 사람으로 살아가는지가 오래되었거늘.

노랑머리 파란 눈, 피부색이 다른 사람들을 전철에서 자주 만나고 스친다. 아까 만난 필리핀 처자도 누구의 아녀자가 되어 한 가정을 꾸리리라. 우리나라 사람이 분명하다. 어서 우리의 문화나 전례를 터득해서 한민족 되기를 기원해본다.

코로나로 인해 필리핀이나 베트남 사람들이 들어오질 못하니까 농촌에서는 인부 구하기가 어렵다고 야단이다. 우리나라 청년들은 어림없다. 그런 일을 해보지도 않았을뿐더러 힘든 일은 부모가 시키지도 않는다. 농사일 말고도 산업 일도 IT 일도 손이 달린다 하니 걱정이다. 외국에서는 한국어를 배워 우리나라에 와서 사는 게 목적이라 한다. 장한 젊은이들이다.

현금지급기 앞에서 만난 여인도 영어학원 가는 길을 묻는 걸로 보아 그런 사람에 한 사람이리라.

옛날에는 미군 부대원이나 선교사가 많은 반면에, 요즘은

경제활동 목적으로 오고 있다. 그래서 TV에도 연예 프로에
출연이 빈번하다. 이래저래 우리 설 자리를 조금씩 빼앗기고
있다. 부지런하고 역량 있으면 다 살아가게 마련이다.

# 등화관제

80년대의 일이 생각난다. 뜨겁던 어느 여름날, 나랏일을 하는 공무원들과 예비군을 동원하여, 한 달에 한 번씩 밤 9시가 되면 전깃불을 끄게 했다. 석유파동이 일어났던 때 일이다. 전기는 국산이지만 전기를 만드는 석유는 수입품이라서.

군대에서 등화관제는 적의 야간 공습에 대비하여 불빛이 새 나가지 않게 일정한 지역에 등불을 가리거나 끄게 하는 것이다.

도시에서 그렇게 한 것은 순전히 에너지 절약을 위함이다. 30분간의 짧은 시간이건만 집에 있기가 답답한 아이들은 거리로 나와 더 신나 했다.

농촌출생들은 겪었으리라. 깜깜한 밤, 달빛을 이용해 마실

다니고 했다. 맑은 하늘에 태양보다 큰 별이 어찌 그리 작게 그리고 수없이 내리쏟아질 듯하는지.

이미 미 항공 우주국에서 관측한 태양보다 큰 거대한 별이 있다는 것이 보도되었다. 보름달 밤 그 밝고 교교한 분위기는 이루 말로 할 수 없다. 고즈넉하고 조용해서 함부로 올려다볼 수 없다.

지난봄에 한 조사원에게 생활 조사서를 응해 준 적이 있다. 시市에서 하는 에너지 관련에 대한 것이니 믿으라며 통장 계좌번호까지 받아 갔다. 다행히도 전달보다 전기료가 적게 나와 16,000원이 입금되었다. 내가 한 행위가 자랑스러웠다. 더 노력해야만 한다. 그러나 현실은 어렵기만 하다. 여름엔 에어컨, 겨울엔 돌침대와 보일러 가동으로 전기를 쉼 없이 소비하고 있다.

우리집에도 잠자기 전에 살펴보니 노상 켜져 있는 군데군데 작은 센서등, LED 표시창의 불빛이 훤하다. 헤아려보니 전등을 켜지 않아도 어둠이 없을 만큼 많다. 냉장고 두 대에서 나오는 온도표시판, 텔레비전 옆에 부착된 유선에서 연결해준 공유기가 두 개나 된다. 부엌 싱크대 찬장에 부착된 라디오 시계, 유선전화기에 연결된 콘센트와 전화기도 있다. 어항에 연결된 콘센트. 센서등이 많기만 하다.

그리고 밖이 훤히 보이는 거실 통유리 창 그 너머 도로의 가로등 불빛이 낮보다 밝다. 도시의 불빛은 꿈나라로 가는 길을 멀기만 하게 가로막고 있다. 작은 불빛이 모여 큰 빛을 내는 것이다.

조물주는 인류문명, 인간에게 낮과 밤을 주었다. 그런데 인공불빛은 사람에게 큰 혜택도 주었지만, 비극도 주고 있다. 밤의 인공불빛이 없다면 상가는 영업을 못하고, 산업 현장은 가동을 못할 것이다. 이렇듯 편리한 불빛들이 우리에게 다가와 또 다른 일을 벌일 줄 몰랐다.

치매의 원인이 밤의 불빛 때문이라니 얼마나 불행한 일인가. 더 무서운 것은 초로기치매다. 늙는 과정의 초기인 4, 50대에 찾아오는 '어마무시'한 병이다. 노년기 이전에 발생하고 위축성 뇌 질환을 말한다. 그러니까 모든 근원은 잠을 푹 자야 한다는 결론이다.

수면장애 환자는 기억력, 판단력 등 인지기능 저하로 서서히 깊은 골로 들어서게 된다. 벌써부터 믿을만한 연구기관에서 결과를 알려왔다. 병이 발생한 후에 치료 방법을 찾는 것보다 원인이 밝혀졌는데 실행을 못하고 있다니 어려운 일이다. 증상 하나하나가 모여 큰 병으로 가고 있다. 노인들의 골치병인 치매도 이제는 부자 나라인 정부가 나서서 대책을 세워야 한다.

노인장기요양보험이 있긴 한데, 노인들은 요양원만 들어가면 목숨 끊어지는 줄 잘못 알고 있다. 치매가 발병하기 전 다른 대책은 없다는 말인가. 수명은 길어지고 병원 갈 일은 늘어만 가니 자손들의 걱정이 이만저만이 아니다.

40여 년 전 집집마다 창문을 두드리며 불 끄라고 소리치던 공무 집행자들의 목소리가 아직도 들리는 듯하다. 자원을 아끼고 편리를 위해 세운 대책의 하나였지만 그땐 많은 힘이 되었으리라.

LED 표시창의 인공불빛은 문명의 혜택을 너무 받아서 다시 사람들에게로 역공격하고 있다. 방송 뉴스에 날을 잡아 한강 교량의 불을 1시간씩 꺼야 한다고 톤을 높인다. 이번에는 지구를 살리는 데 힘을 모으자는 뉴스가 반갑지만, 등화관제로 인해 다른 사고가 없기를 소망해본다.

# 디지털 시대

현관문을 여닫을 때마다 도어록에서
"동동동 동대문을 열어라, 남남남 남대문을 열어라,
열두 시가 되면 문을 닫는다" 하고
작은 멜로디가 울린다.

얼른 마트로 달려가 건전지 4개를 사다가
겨우 바꿔 끼웠다.
손이 부르르 떨리도록 정성을 다했다.

2년 전에도 예고한 음을 감지하지 못해
외출에서 돌아오니 문이 잠겨 까딱하지 않았다.

결국에는 열쇠 기술자를 불러 잠금장치를
장도리로 꽝꽝 두드려 패어 부수고
새로 교체했던 기억이 선하다.

때려 부수는 것이 싫어 오래된 집
인테리어도 안 하고 그냥 살기만 한다.
싱크대도 20년째 사용하고 있다.

지금은 자식들이 다 제짝을 찾아 떠나고 없는
빈 둥지를 부부가 지키고 있다.
무엇보다 어려운 것은 스마트폰 다루기가
보통 일이 아니다.
알고 보면 쉽지만, 모르면 병통이다.
문자 수신이 안 돼 대리점으로 또 뛰었다.
우리 동네는 인심도 좋다.
가서 물어보면 그냥 가르쳐 준다.

며칠 전에는 부엌 가스레인지에서 불꽃이 튀질 않아
A/S에 전화하니 건전지를 교체해보라 한다.
남편이 애를 먹으며 고쳤다.

가스라서 함부로 만지면 터지기라도 할까 봐 겁이 났다.
디지털 시대를 살아가는 기계치 노부부의 웃음거리다.

# 맨션아파트

집이란 사람에게 있어 제3의 피부와 같다. 살갗이 있고 그 살갗을 보호하기 위해 옷을 입으며 밤이면 들어가 편안히 쉴 수 있는 집이 있어 위험에서 우리를 보호해준다. 집은 비바람과 추위 더위 따위를 막고 사람이 살기 위해 지은 건물을 말한다. 또한 결혼하여 가정을 이루고 생활해야 하는 중요한 거처다.

이러한 거처 방식이 아파트로 바뀌어 가고 있다. 농경시대에는 단층 초가지붕에서 산업의 발달로 4차 산업까지 돌입한 지금은 공동주택으로 개발되어 나가고 있다.

아파트는 방바닥이 아랫집 천장이 된다. 가까운 것 같으나 철저히 개인적으로 살아간다. 옆집에 혼자 사는 노인이 죽어

나가도 알 수가 없이 철저히 혼자다. 또 다른 고독사라는 죽음이 우리 주위를 맴돌고 있다.

지금으로부터 40년 전 공동주택은 성냥갑을 쌓아놓은 것처럼 하나의 건물 안에서 여러 세대가 각각 독립된 생활을 할 수 있게 만들어진 주택으로서 큰 구경거리였다. 서울시가 지은 와우 아파트가 이색적이었다. 그것도 아무 벼슬이나 신분적 가치나 특권이 없는 일반 사람, 즉 중류 이하의 넉넉지 못한 생활을 하는 서민 아파트이었음에도.

이렇듯 집의 변천사는 많은 시간의 건널목을 건너와 집의 혁신으로 이어져 초호화 아파트로 변모해가고 있다. 장롱도 필요치 않은 맨션아파트가 늘어만 가고 있다. 가전제품은 물론이고 에어컨까지 고루 갖추고 있으니 그야말로 '맨손'으로 들어가 살아도 될 만큼 발전되어가고 있다.

며칠 전에 요양원에서 94세로 세상을 뜨신 외당숙 어르신께서 납골당에 모셔져 있다기에 참배를 다녀왔다. 충남 공주 선산에 모시지 못하고 화장하여 보장사 영각당에 모셨다. 다른 이유 없이 자손들이 안양에 살고 있으니, 참배 다니기 편리하게 집 가까운 곳을 찾았다고 한다.

지금은 바쁘게 사는 세상이다. 직장 생활하며 그 먼 곳을 찾아다닐 수는 없다. 고작해야 1년에 두어 번 갈 수 있는 장거리보다는 근거리에 모시고 자주 찾아뵙는 게 맘 편한 것이다.

납골당은 시체를 화장하여 그 유골을 그릇에 담아 모셔두는 곳이다. 그러니 1년 열두 달 사초를 하지 않아도, 잔디씨를 보충해 주지 않아도 된다. 24시간 관리원이 있어 가족들은 맘 편히 지내도 된다.

사설 납골당에 들어가 보면 맨션아파트 앞에 서 있는 느낌이다. 나도 오랫동안 단독주택에 살다가 아파트로 옮겨온 지얼마 되지 않는다. 이웃 간에 도타운 정은 없어도 집을 관리하기는 참으로 편리하다. 외벽의 페인트가 벗겨지면 큰 품꾼을 사서 해주고, 해충이 생길까 봐 보름에 한 번씩 소독약을 뿌려주니 아주 편리하다.

10층이나 되는 납골당의 함 중에서 눈높이에 있는 6층 함에 유골을 넣었는데 함 한 칸에 사진 두 장과 꽃장식이 전부였다. 매장을 택했더라면 비가 많이 오는 여름에는 유실될까봐 무시로 걱정하고, 겨울에는 눈사태로 인하여 허물어지지않을까 맘 쓰게 된다.

살아생전에 은행장까지 지내셨으며 누구보다 선하게 사신분이다. 연화대로 가시길 두 손 모아 빌었다. 납골당은 아파트와 마찬가지로 맨 아래층과 꼭대기 층은 자리 값이 저렴하고, 중간층 즉 로열층 눈높이는 값이 나간다고 상주님들이 일러준다.

외당숙 어르신은 효자를 두셔서 사후세계에서도 좋은 자리에 안치되신 것이다. 효자는 부모가 만든다고 했다. 모두 어르신께서 다 일구어 놓으신 것이다.

사찰 안에는 참배객들이 불편하지 않도록 모두 준비되어 있었다. 돗자리와 상 그리고 과일을 씻을 수 있는 깔끔한 수돗가도 있다. 살아생전 대저택, 고급아파트에 사시더니 저세상에 가셔서도 편안히 쉴 수 있는 '맨션아파트'로 모셔졌다.

납골당은 여럿이 함께 그러나 혼자이다. 부디 번뇌를 끊으시고 마음 고요히 편안한 세계에 돌입하소서. 아미타불이 살고 있다는 정토에 안착하시어 영원한 영생의 길로 접어드시길 바라옵니다.

94년을 사시는 동안 얼마나 많은 생각이 일었겠습니까. 이제는 모두 내려놓으시고 왕생극락하시어 이승의 인연은 모두 접으시고 편안한 저승 생활이 되시도록 구원하나이다.

계획적으로 건설한 큰 규모의 유택에서 비 맞지 않고 풍수해가 없는 공동시설, 영혼들이 잠들어 있는 이곳에서 외롭지 않으시겠다는 생각을 잠시 해봤다. 일요일이면 참배객들의 발길이 끊이지 않는 곳이다.

# 5

살다 보니

살다 보니

# 원금 손실

　적은 금액을 들고 은행에 예금하러 갔다. 은행 직원은 자꾸 중국 펀드에 가입하면 수익률이 높다고 꼬드겼다. 저금리 시대에 이만한 수익률이 없다고 채근하기에 자세히 살펴볼 틈도 없이 척하니 계약을 했다. 직원은 나에게 다음과 같은 사인도 받아 갔다. '설명 듣고 사인했음' 내가 조건을 달고 사인을 받아야 했거늘 거꾸로 가고 있었다.

　처음 몇 개월은 곧잘 돈이 굴러갔다. 재미가 있어서 비상금까지 털어다 더 예금했다. 하지만 세상 돌아가는 것에 눈이 어두운 내겐 너무나 벅찬 일이었다. 그러니까 주식 한번 해보지 않고 펀드가 뭔지도 모르는 나는 이율이 높다는 달콤한 말에 그만 맹신을 한 것이다. 처음과는 다르게 자꾸 깊은 늪으로 빠져들어가 발을 뺄 수가 없는 지경에 이르렀다.

원금 손실이 나더니 급기야 반 동강이가 났다. 아무리 소액이라 하더라도 가정주부가 감당하기엔 마음의 상처가 깊었다. 잘 늘려서 노후자금에 보태보려고 한 내 발상에 금이 간 것이다.

40여 전에 '자식 펀드'를 두 구좌 텄다. 늙어서 도움을 받을까 하고. 자식 농사가 그렇다. 갓 낳아서는 그저 예쁘고 귀엽기만 해 소중하게 키우기만 했다. 진자리 마른자리 가려가며 보물단지 위하듯 땅에 놓지도 않고 건사했다. 곱게 키워 대학에 보내기까지는 사교육도 여러 방면으로 신경을 썼다.

어려서는 미술, 피아노, 웅변, 주산, 태권도 등 아이들은 싫다 하지 않고 잘 따라 주었다. 80년대엔 그렇게 하는 것이 유행이었다. 그러니 아이 하나 기르고 가르치는데 드는 돈이 2억이니 남매니까 4억은 든 셈이다.

고생을 모르고 부모덕만 보고 자란 아이들이라 내심 걱정을 했으나, 그런대로 제 앞을 가리고 살아간다. 부모에게 손 내밀지 않고 오순도순 살아가니, 그만하면 됐다고 위안을 한다.

그러니까 자식 펀드도 원금 손실이 이만저만 난 게 아니다. 그 허망함을 말로 다 할 수 있을까. 그렇기로는 우리 부모님은 얼마나 황당하셨을까. 으레 자식들에게 대접을 받겠지 했다가 그렇지 못했으니 원금은커녕 자식들 뒷바라지로 고장 난 몸만 남으셨다.

효도는 고사하고 어린 손주들 돌보느라 이렇다 하게 모시지를 못했다. 나는 부모에게 받은 은혜를 자식에게 갚고, 자식들은 제 자식에게 갚으며 살아가니 천지창조가 이어지는가 싶다.

아이들은 1주일에 한 번 얼굴을 보여주기는커녕 전화도 없을 때가 허다하다. 자기네 자식 키우느라 우리 부부에게 신경을 쓰지 못한다. 세상은 자꾸 복잡해져 가니 살아가기에 급급한 것이다.

자식들 효자 만들려면 첫째도 둘째도 내 몸 관리를 잘해서 병원에 드나들지 않아야 한다. 그런데 그게 마음먹은 대로 되지 않으니 걱정이다. 살아 있는 날까지 육신을 움직이는 날까지 건강해야 자식들이 효자가 되는 것이다. 어떠하든 자기에게 주어진 삶을 충실히 살아낼 때 그때서야 책임을 다하는 것이고 행복한 가정이 되는 것이다.

결국 은행 펀드는 중도 해지를 하여 연금에 가입했다. 아무것도 믿을 게 없다. 이제는 무이자 시대에 도래했다. 은행에 돈을 맡기면 수수료를 내야 할 지경에 이르렀다.

자식 펀드도 늘 관리를 해야 한다. 빈 껍데기 통장이라도 가지고 있으려면. 자식들도 제짝을 만나 살아가니 부모인 우리도 때로는 정치가 필요하다. 이렇게 저렇게 다독거리며 집안의 안녕을 빈다.

사위와 며느리가 어느 때는 자식 같고 어느 때는 손님 같으니 거느리는 일이 버겁기만 하다. 불효자가 되는 것도 효자를 만드는 것도 우리의 몫으로 남았다. 숙제를 다 마친 학생처럼 한가롭지만 무시로 자식 걱정이 앞선다.

# 말과의 교감

아직 봄이라 하기엔 이른 이월 중반쯤에 제주도로 패키지 여행을 떠났다. 이런저런 제주도 투어 속에는 '중문승마장'에서 말타기가 있어 호기심이 일었다. 지상에서 가장 아름다운 동물과 교감을 한다는 두려움도 있지만 기대감도 있다.

한라산을 배경으로 하는 승마는 여행객들에게 가장 인기 있는 체험레저라 할 수 있다. 말은 성격이 온순하고 착해서 길이 잘 들여져 남녀노소 누구나 손쉽게 이용할 수 있다.

초자연적 세계와 소통하는 신성한 동물로 여겨지는 말. 뛰어나게 발달한 근육을 이용하여 대지 위를 힘차게 달리는 기동력과 섬세한 감각으로 주위 환경을 꿰뚫는 능력까지 지닌 말은 사람을 배려하고 순종하는 포용력 때문에 영물의 상징이자 사람들과 오래도록 친구로서 자리하고 있다.

비록 한정된 장소에서 짧은 체험이지만 말을 타고 천혜의 제주의 자연 속을 달린다는 것 자체만으로도 색다른 추억을 남기기에 손색이 없었다.

친절하게 숙련된 조마사들이 여러 명 있어 어린아이도 승마를 즐길 수 있다. 조마조마한 마음으로 말의 잔등에 사뿐히 올라가 안장에 앉았다. 양발을 모두 걸개에 끼우고 허리를 약간 굽히듯이 하니, 안장에 앉았다 해도 따뜻한 말의 온기가 오롯이 전해왔다. 어린 날 창경궁에서 타던 회전목마와는 완연하게 달랐다. 생명이 없는 차가운 말 위에서 빙빙 돌아가는 재미 말고는 별다른 온기는 느낄 수가 없었지만, 이번 말체험은 달랐다.

말은 자동차 발명 이전의 교통수단일 뿐인데 율동적인 말의 반동은 사람 골반이 움직이는 것과도 유사하다. 말이 느릿느릿 걷거나 좀 빨리 걸으면 골반이 움직이면서 이와 동시에 기승자도 같은 동작을 되풀이하게 된다. 말과 사람이 조화된 완벽한 일체감에서 오는 정감은 이루 말로 표현할 수가 없다.

말은 여러 문명권에서 무력의 핵심요소로 거듭났다. 빠른 스피드와 힘을 지닌 말은 전투를 승리로 이끄는 주요인이었기 때문이다. 시간이 지남에 따라 말은 인간의 삶에 보다 깊숙이 들어왔다. 개인의 생활 스타일과 함께하는 친구로 재탄생한 것이다.

실례로 현대인의 여가를 풍성하게 만드는 레저의 한 축을 담당하는가 하면, 치유와 재활을 돕는 촉매를 자처하기에 이르렀다. 말에서 배우는 실천적 지혜는 '말의 센스' 말의 이러한 특징을 내포하고 있으며 고대부터 현대에 이르기까지 지혜를 대변하는 말로 사용되고 있다.

자동차가 온기 없는 탈것이라면 말은 살아 숨 쉬는 따뜻한 탈것이다. 요즘 말이 우울증 환자 치료에도 지대한 공을 세우고 있다. 집중력 향상과 담력증대, 유산소운동 등 말과의 정서적 교감이 스트레스 해소에 큰 도움이 된다고 해서 인기다.

살아 숨 쉬며 움직이는 모든 것은 따뜻하고, 죽어가는 영혼은 차갑기만 하다. 사람도 사랑이 가득한 사람은 온기가 있어 부드럽게 전해오지만, 사랑이 없는 사람은 냉랭하기만 하다. 살아있는 사람의 살갗은 보드랍고 온화하다. 죽어가는 사람은 온기가 떨어지고 뻣뻣하니 딱딱해져 간다.

우리집에서 자라던 애완견 '동재'도 살갗에 닿는 느낌은 물컹하니 징그럽지만 따뜻한 기운이 전해짐은 사람 이상의 온기가 전해진다.

밝은이는 사람을 대할 때 말을 온화하게 하며, 일할 때도 기운을 온화하게 하며, 재물을 대할 때도 의리를 온화하게 한다. 마치 사람들이 봄날의 따뜻함을 떠나지 않는 것처럼, 온화한 사람을 떠나지 않는다.

# 코로나바이러스와 묵언 수행

코로나가 우리를 공격한지도 벌써 3년째로 접어들고 있다. 간신히 조마조마하게 위드 코로나로 접어들어 갈 단계에까지 와 있다. 천만다행이다. 초창기 때에 우리는 얼마나 떨었던가.

법정전염병이란 참으로 어마어마하게 무서웠다. 전염력이 강하고 사망률이 높아서 신고, 격리치료, 소독 따위가 의무화되어 있다. 우리는 그동안 사람 말고 동물인 돼지가 콜레라에 걸려 산채로 덤프트럭에 실려 묻히는 걸 보아왔다.

나도 아이들 어렸을 때 장티푸스에 걸렸던 기억이 또렷하다. 다행히 식구들에게 옮기진 않고 겨우 살아 냈던 일이 있었다. 독한 약을 먹으니 머리카락이 빠지고 피부가 거칠어졌다. 앓고 나니 몸무게가 무한정 불어나서 애를 먹었다.

이번의 코로나바이러스는 소리 없이 퍼지며 들이닥쳤다. 나라에선 백번 서둘러 치료해 주곤 한다. 질병청이 큰 애를 먹고 있다. 가장 큰 문제가 입과 코를 차단해야 한다고 연일 발표한다.

전 국민에게 마스크 쓰기를 강조해 왔다. 황사가 심한 날도 우리는 마스크로 해결해 나갔다. 한여름, 두 여름을 그렇게 지냈다. 답답하고 덥고 해도 서로가 걱정하며 챙겨 주었다. 단절만이 살길이라고 서로 서로가 만나지 말라 한다. 코로나가 존재하는 한.

불교 용어로 묵언 수행이 생각난다. 아무런 말도 하지 않고 참선만 한다. 참선이란 자신이 본래 갖추고 있는 부처의 성품을 꿰뚫어 보기 위해 앉아있는 수행이다. 얼마나 갈고 닦아야 선에 들 수 있는지 참으로 어려운 행위다. 우리는 얼마나 언어에 집중되어 사는가. 직업적으로 사는 학교 교사나 강사들은 말을 해야만 된다.

세상의 소음 가운데 일부는 내가 만든 것이다. 그러므로 나 스스로 입을 다문다면 혼돈 속에서 평온을 발견하는 일도 가능하지 않을까. 명상이 별거인가. 한 시간만이라도 말을 안 해본다면 그것이 묵언默言이다. 어떤 선승들은 3년이고 10년이고 계속해서 묵언을 지키고 있다는 것이다.

그런데 일반 사람들은 그렇게 할 수가 없다. 우선 말이 통해야 일상생활이 되고 의사 전달이 되어야만 오해가 생기지도 않으니 말은 삶의 수단인 것이다. 특히나 여자들은 끝없이 수다를 떨어야 스트레스가 풀리고, 심지어 살아가는 의미도 말에서 찾는다나.

또 수행이란, 행실, 학문, 기예 따위를 닦음을 말한다. 부처의 가르침을 실천하고 불도를 닦는 데에 힘씀이다. 생리적 욕구를 금하고 정신과 육체를 훈련함으로써, 정신의 정화나 신적神的 존재와의 합일을 얻으려고 하는 종교적 행위를 말한다.

우리는 지금 거리 어디를 가나 늘상 묵언 수행자들 뿐이다. 그런데도 정치인들은 마스크를 쓰고도 할말 다하고 싸움까지도 일삼는다.

이제 남은 과제는 바이러스를 살살 달래어 보내야 한다. 코로나19 바이러스도 독감과 마찬가지로 토착화될 것 같다. 그리 쉽게 물러날 것 같지 않지만, 묵언 수행을 일삼는다면 손 들고 말리라.

그날이 언제일지 모르지만, 독감보다 200%는 센 것 같다. 우리는 어찌어찌 살아 내고 있지만 2, 3세대들에게 물려줄 게 없다. 그것이 가장 가슴 아프다. 뭐 하나 제대로 된 게 없으니 마음 아프고, 공기는 또 왜 이리 나빠지는지 미안할 뿐이다. 이제 겨우 세 살배기가 얌전히 마스크를 쓰고 엄마 손잡고 가는 것이 신기할 따름이다.

현대문명의 발달로 인해 온갖 바이러스가 우리를 공격해오는 것이니 준비 없이 맞이한 현대문명을 이제는 잘 다스리는 법을 익혀야 할 것 같다. 장애물이 있는지도 모르고 앞만보고 달리다 발에 걸려 넘어지는 상상을 해보니 곧 참담한광경이 떠오른다. 다시 원래로 돌아가 찬찬히 살아갈 일이다. 나도 살고 강산도 살리려면 우리는 늘 말없이 수행자의 본을받을 일이다.

# 물 타령

수돗물에서 물비린내가 심하게 난다. 옥상에 설치한 물탱크를 청소할 때가 됐나 보다. 수돗물이 24층까지 올라갔다 다시 각 세대에 공급되다 보니 한여름에는 뙤약볕에서 내려오는 물이 께름칙하다. 물과의 전쟁은 끝이 없다.

약수를 길어다 먹기도 하고 생수를 사다 먹기도 한다. 사용하던 정수기도 믿을 수가 없어 떼어버린 지 오래다. 아무리 필터를 자주 바꿔서 이물질을 걸러 준다 해도 한강 물을 신임하기는 어렵다.

수도국에서는 옛날의 한강 이름을 본떠 아리수라고 북새를 떨지만 미덥지가 않다. 수돗물 속에는 페놀이나 포르말린이 들어 있다는 것은 다 알고 있다.

어느 해 여름휴가를 대성리로 가게 되었다. 하필 장마와 맞물려서 오도 가도 못하고 민박집에 갇혔었다. 비가 그쳐 해가 질 무렵 강가로 나가 산더미 같이 밀려오는 장마의 물 구경은 할 만했다. 뻘건 흙탕물에 생활 쓰레기가 무리 지어 넘실대며 떠내려갔다. 드럼통이나 폐타이어, 스티로폼 같은 물체들은 좀체로 썩어 없어지는 것들이 아니라서 적잖이 걱정이 되었다.

수년 전의 일이건만 그때부터 수돗물을 거리끼게 되었다. 물은 여러 행태로 나뉜다. 정화되지 않은 구정물과 공장에서 쓰고 버린 폐수, 빗물 등이 있다. 수십 번의 정화를 통해서 우리 목으로 넘어간다지만 쓰레기 씻은 물을 다시 마시는 기분이다. 수돗물을 받아 끓이고 주전자 뚜껑을 열어 약 기운, 염소 냄새를 날려야만 그나마 안심하는 것이다. 그 옛날 숭늉 아니고는 물을 끓여 먹는 일은 흔치 않았다. 우물물을 바가지로 휘휘 저어 떠 마셔도 아무 탈 나지 않았다.

어릴 적 길어다 먹던 '옻샘'이 그립기만 하다. 산 밑에서 쫄쫄 흘러나오는 물은 어지간히도 차가웠다. 샘 밑바닥에는 넓은 찰진 암반이 깔려서 늘 깨끗했다. 산 둔덕에서 솟아 흘러나오는 물은 겨울에는 따뜻하고 여름에는 차가웠다. 동리에서 멀찍이 떨어져 있어 청정수와 같이 맑았다.

낮에는 동리 여자들이 모여 푸성귀를 씻어가고 저녁땐 돌절구에 대껴진 보리쌀을 옹배기에 이고 와서 씻으니 그곳은 동리의 정보가 오가는 곳이었다. 밤에는 땀띠 난 여인들이 모여들었다. 하늘에서 내려온 천사처럼 옷을 벗어 둑에 살풋 올리고 바가지로 물을 퍼 목간을 하곤 했다. 소름이 돋아 닭살처럼 오돌토돌해질 정도로 얼음물이었다.

외딴집에 살던 우리는 허드렛물로는 '이돌어샘물'로 설거지나 소여물을 끓이고, '참샘'에 가서는 빨래를 했다. 집 뒤로 한참 에둘러가면 논 끄트머리에 널따란 보청이 있었다.

지금도 꿈에서 만나는 호젓한 길이다. 거머리와 물방개가 활개를 치고 놀면 고놈들을 피하여 바가지로 퍼 올려, 물 초롱에 퍼 담아 물지게를 지노라면 거의 땅에 질질 끌리다시피 했다. 그래도 악착을 떨며 몇 번씩 다니며 두멍을 채우곤 했다. 큰집에서 내려오신 할머니는 그런 나를 보시며 "에구, 숭악헌년" 하며 침이 마르도록 들추켜세웠다.

다음날 학교에서 돌아오면 올망졸망한 동생들이 벗어던진 황토투성이 빨랫감을 자배기에 주섬주섬 담아 이고 논길로 걸어가 참샘으로 갔다. 쌀겨로 만든 빨랫비누 칠해 방망이로 처덕여 말갛게 헹구어 오곤 했다. 엄마는 아우들을 낳기만 했지 키우는 건 내 몫이었다.

그러니 공분들 숙젠들 제대로 해갔을까. 성격이 활달한 엄마는 안팎일을 하느라 살림은 건성이었다. 난 아홉 살부터 밥을 짓기 시작했다. 높은 부뚜막에 올라앉아 밥그릇에 밥을 담아 동생들을 거두었다. 맏딸을 그야말로 작은 바가지 부리듯 했다. 그건 수십 해 전의 부모나 알아주는 착한 전설이 되었다.

지금은 아무도 알아주지 않는 그저 그런 큰누나일 뿐이다. 생수를 날라다 마시면서 자꾸 그 옻샘의 면경보다 맑은 물이 간절해진다. 몸에 옻이 올랐을 때 그 물로 목간을 하면 피부가 깨끗해진다 하여 옻샘이다.

서울시는 정수가 잘된 아리수라며 생수로 마셔도 좋다고 홍보하지만 우리는 늘 끓여 마셔야 안심이 된다. 그것도 모자라 몸에 좋다는 약초나 식물들을 말렸다가 끓이곤 한다. 옥수수수염, 양파껍질, 약쑥, 민들레, 둥굴레, 백하수오, 생강, 계피 등 그 외에도 소화에 도움을 주는 무말랭이도 끓여 마신다. 알기는 신동 부러지지만 그런데도 내 몸은 근근이 유지하고 있다.

건강한 몸은 아무 물이나 벌떡벌떡 마셔도 탈 나는 법이 없더니만 까탈이 이만저만이 아니다. 아프리카에서는 물 부족으로 많은 인명이 허덕이고 있다. 오염된 흙탕물을 떠 마셔

병들어 가고 있다. 물 없이 살 수 없는지라 딱하기 그지없다.

우리나라도 언젠가는 닥칠 물 부족국가가 될 수도 있다는 생각이다. 재앙에 대비해야 하는 묘안을 내놓아야 할 것이다. 우리는 수돗물도 나쁘다고 물 타령을 하고 있으니.

우리 몸의 70%가 물이라고 한다. 물 없이는 하루도 살 수가 없는 것이다. 앞으로는 빗물도 재사용해야 되고, 수도꼭지에서 쏟아지는 물 한 방울도 귀하게 생각할 날이 올 것이다. 물 기근은 큰 재앙이니까. 그야말로 물을 돈 쓰듯 해야 할 것 같다.

스님들은 일렀다. 살아생전 쓰다 버린 물을 죽은 후에 다 마셔야 한다고, 물을 신성시 하여 아끼라는 교훈을 자주 들려주곤 했다.

예수님도 제자에게 물세례를 주라고 자발적으로 나서며 이 세상을 다스렸다. 그래서 물과 신앙생활은 동급이다. 늘 물은 더러움을 씻김으로 이어 주었다. 물의 신선함을 다시 한 번 생각하게 한다.

# 살다 보니

사람들이 자주 하는 말이 있다. 혼자 집에 있는 시간을 갖지 말라고. 하지만 누가 그러고 싶어 그러는가. 나이 듦이란 자연적으로 활동이 민첩하질 못하고 굼뜨고 어눌하다. 그러니까 행동 하나에도 다시 생각하게 되고 망설여진다. 머릿속에서 척척 명령해야 하는데 한가지 하고 나면 그다음 어떤 일을 해야 하나로 생각이 머뭇거리게 된다. 생각은 느리고 몸을 빨리 움직이려다 보면 넘어지든가 사고를 치게 된다.

평상 주부가 할 수 있는 일이란 침대에서 눈을 뜨며 하루를 잘살게 해 주십사 하고 기도부터 올리고, 밥을 챙겨 먹고 청소하고 빨래하고 좋은 식자재 구입하는 일이다. 나머지 시간은 이웃집에 다니며 이야기를 나누고 공원이나 삼림욕장을 거닌다. 더 남는 시간에는 홍보관에도 가 본다.

모두 건강 관리하려고 용을 쓰고 있다. 휴일에는 시민공원이나 유원지에 가서 공연을 보기도 한다. 몸은 말을 안 들어도 월요일부터 일요일까지 스케줄이 빡빡하다.

한참 일할 때는 그저 휴식이 필요했지만, 이제는 잠시라도 몸을 그냥 두면 두렵기까지 하다. 무슨 희귀한 짓인가.

젊어서는 이렇게 편안하게 살면 하늘에서 벼락이라도 맞을세라, 개미처럼 부지런히 살았다. 하지만 이제는 느리게 사는 법을 터득하는 중이다. 생각은 조금하고 몸을 부지런히 움직여야 한다. 사람의 뇌는 컴퓨터와 같이 오묘해서 번뇌로 가득하다. 사람의 번뇌는 팔만사천 가지나 된다니 그 얼마나 되지도 않는 일로 머리를 혹사하며 살고 있는가.

살다 보니 이런 날도 있는 것을 왜 그토록 살아가는 일이 두려웠던지 참으로 신기한 일이다. 직장에 다니지 않으면 아무 쓸모 없는 사람이 될 것이라고 지레 겁을 먹었었다. 오십 후반에 백수가 되어 그럭저럭 살아가도 아무 일 일어나지 않고 지구는 잘 돌아가고 있다.

옛말에 '여자 벌이는 쥐 벌이'라고 어른들이 하던 말씀을 무시하고 나는 다른 누구보다 깨어 있는 정신으로 남편을 도와 가세를 일으켰다. 그래 그런지 많은 재산은 없어도 세상을 일찍 터득한 셈이다. 산전수전 공중전까지 다 겪은 내가 모든 걸 내려놓고 이제는 세상을 관망하는 자세로 임하고 있다. 삶이란 아무것도 아니다. 그날그날 잘 살아가면 그만이다.

수필의 대가가 못 된다 한들 어떠랴. 건장한 육체가 아닌들 어떠랴. 문화생활에서 멀어진들 어떠랴. 그저 하루 세끼 밥 잘 먹고 잠 잘 자고 배변에 무리가 없다면 잘 살고 있는 것이거늘. 다들 그렇게 맘 편히 지내는데 무엇을 이루려고 무엇이 되려고 용을 쓰며 발버둥을 쳤을까.

이제는 내가 다가서고 있는 곳이 어딘지 궁금할 필요도 알고 싶지도 않다. 물이 높은 데서 낮은 데로 흘러가듯 바람이 불다 사라지듯, 장대비가 하늘이 구멍 난 듯 쏟아지다 그쳐도 아무 상관이 없다. 누가 글을 잘 써서 인세를 많이 받아도 아무렇지 않다. 어떤 사람이 건강이 좋아 병원 한 번 안 가고 산다 한들 부럽지도 않다. 빌딩 임대료 받아 노후를 해외에서 호화롭게 산다 한들 상관이 없다.

사람은 내가 노력한 만큼 누리고 산다는 것도 알았다. 그렇게 치면 지금까지 살아온 삶이 너무 평이한 인생이었음을 알았다. 늦기는 했지만 이제라도 알았다는 게 어딘가. 그저 깨달음으로 만족한다.

해가 뜨면 그날 무사히 살고 해가 지면 뇌사상태에 있다가 깨어나 움직이는 걸로 하루하루를 보낸다. 내가 해탈한 것인가, 초연해진 것인가. 고만고만한 날들을 늘 천지 창조한 신께 감사하고, 내일도 오늘처럼 무탈하게 해달라고 잠자리에서 되뇌인다.

젊음이 가득하던 날 머리 용량도 작으면서 무서운 생각부터 앞질러 했던 것과는 다르게 요즘은 그 무거웠던 잡념들을 모두 내려놓는다. 마치 국립수목원이 휴식년제로 숲을 살려내듯, 삼팔육 피트도 안 되는 머릿속을 더 하얗게 비우고 싶다.

그냥 선물로 부쳐 오는 수필집들을 날름 받아 읽기만 한다. 그간 무엇을 했느냐고 묻는 이가 있다면 나름대로 내 힘껏 열심히 살았다고 말하련다. 머리 써가며 몸 써가며 살아낸 나에게 수고했다고 격려해 주고 싶다.

# 이 생각 저 생각

이태 전에 일본으로 여행 간 적이 있었다. 고소공포증이 있는 나는 비행기 안에서 잔뜩 겁을 먹고 주먹을 꼭 쥐었다. 제주도에 갈 때도 그리했다. 올라갈수록 귀가 먹먹해져 갔다.

높은 곳의 기압은 기상의 기압보다 낮다. 이 때문에 기온이나 습도를 조절하여 실내를 쾌적한 상태로 유지해 준다. 추락할 것 같은 망상을 하며 침을 꼴깍꼴깍 삼키며 1시간 거리에 있는 일본에 도착했다.

달나라로 여행가는 시대인데 이 무슨 촌스러운 생각이냐고 질책의 소리가 들린다.

우리 인생도 비행기의 여행과 같다. 이륙, 상승, 순항, 진입, 착륙의 길을 거치면서 마감한다. 셀러리맨의 기준으로 볼 때

다음과 같다.

이륙, 항공기가 이륙하기 위하여 먼저 정해진 장소에서 엔진의 시동을 걸고 관제탑의 허가를 받아 활주로에서 시작한다.

상승, 아기가 태어나면서 엄마 뱃속을 떠날 때 큰 소리로 울면서 존재를 알린다. 성장하여 학교 다니고 공부를 하고 사회활동을 하고 부모 곁을 떠날 준비를 하는 것이다.

순항, 이상에 맞는 짝을 만나 결혼하고 자식을 낳고, 직장에선 그래도 중간역할을 맡아 하게 된다.

진입, 어느 만큼 인생살이가 기반이 잡혀 살림살이가 일정하게 돌아간다. 그리고 더 늙음을 생각해 노후를 걱정하는 시기가 된다. 앞만 보고 뛰어다니던 상승 때와는 달리 속도를 조절하며 안전하게 모든 생활의 강하할 수 있게 된다.

착륙, 앞서 속력을 냈던 때와는 다르게 속도를 줄이고 노년기를 반갑게 맞이할 일이다. 전 생애를 통틀어 볼 때 절대로 안전하게 돼야 한다. 비행기 조종사가 눈으로 보면서 착륙을 시도하는 것이고 최종 진입에서 정지까지 완전히 자동적으로 착륙하는 것이다.

지금 나는 아주 무탈하게 인생을 착륙 중이다. 그래서 소음도 없고 오직 편안하기만 하다. 젊은 날의 밑그림을 돌려보았다. 이륙에서 착륙까지 완전히 안정적이어야 하거늘 그렇지 못했다. 젊어서는 경제 능력이 없는 노후가 두려웠다. 몸은 늙고 정신은 흐려지고 의사 만날 날은 많아질 거라는 생각에 주눅이 들었다. 더군다나 지난겨울에 생때같은 자식이 크게 병이 난 적이 있었다. 직장에 잘 다니던 아들이 척추 협착증으로 옴짝달싹을 못 했다. 가슴만 태울 뿐이었다.

젊었을 때는 세상이 하찮아 보였다면 이제는 육신은 늙고 머리 회전도 덜 빠르다. 자수성가로 이루어 놓은 이내 가정을 잘 지키고 이루어 나갈까.

내게는 자식이 두 명이다. 그러니까 내가 낳지 않은 자식과 합쳐 4명이 되었다. 모두가 끝까지 건강하길 바란다. 중늙은이쯤 되면 행동은 굼뜨고 생각만 많아진다. 나는 지금 비행 진입에 들어섰다. 노년기 착륙기에 들어서 그냥 아무 일 없이 무탈하게 살길 바랄 뿐이다.

지난 젊은 날에는 자식들과 먹고살려고 맞벌이도 해보고 내핍생활도 해보았다. 그리고 반려자와 의견일치가 안 되어서 삐걱거린 적은 또 얼마나 많았던가. 저공으로 땅에 내려가려는 비행기는 소음도 없고 무섭지도 않다.

내게 떨어진 숙제는 끝냈다. 친구들은 아직도 자식 혼사를 이루지 못해 애가 닳는 이도 있다. 어려운 건강만 지키면 된다는 결론이다.

비행기가 착륙하기 위해 가장 편안한 자세로 넓은 활주로를 미끄러지듯 내려간다. 노후도 이처럼 아무 일 없기를 바라는 시기이다. 자녀들이 다 편안하고 제 밥벌이도 알아서 하는 시기이다.

이제 한 줌의 흙으로 돌아가려는 인생을 생각해보는 밤이다. 하룻밤에도 기와집을 지었다 부수기를 반복한다. 날밤을 새울 때도 있다.

작가는 생각을 많이 해야 글이 나온다. 생각하는 것도 일이라고 한다. 쓸데없는 생각은 궁상이고, 작품 구상은 창작에 꼭 필요한 작업의 하나다. 이 생각 저 생각에 몰두해보는 게 직업이다.

# 지신밟기

　음력 설을 쇠고 막 돌아서니 정월 대보름이라고 들썩인다. 마트에서는 다섯 가지 잡곡을 작은 봉지에 담아 진열해 놓았고, 부럼거리도 이것저것 등장했다. 말린 나물거리 또한 가지가지 많기도 하다.

　멀리서 풍물패들의 풍물 소리가 가까이 다가오니 귀와 시선이 그쪽으로 향해진다. 가까이 다가가 보니 어느 경로당의 노인들이 재미 삼아 거리로 나온 듯싶다. 검은 상모를 쓰고 장구 소리에 맞춰 고개를 좌우로 번갈아 가며 힘차게 돌리고 있다. 검은 전복을 입고 상모 꼭대기에 긴 끈을 달아 빙글빙글 돌리고 있다. 빨강, 파랑, 노란색 적삼이 이색적이다.

　어렸을 때 고향에서 정월에 보았던 풍경이라 유심히 보게 된다. 어르신들은 정월 대보름을 맞이해 집집마다 들러서 잡 귀신을 쫓아내고 마을과 가정의 가택 신을 위로하고 땅을 꼭 꼭 밟아서 액을 다져 주었다.

지신밟기는 각 지방에서 행하여 온 민속놀이의 하나로 사 대부, 팔대부, 포수로 가장한 일행이 농악 행렬을 거느리고 집집을 돌며 지신을 위로해 주면 집주인은 그 대가로 복채 상을 내놓았다.

지신이 땅에 존재할 거라는 전제하에 나쁜 기운은 발로 밟 아서 눌러주고 좋은 운만 돌아오라고 발원을 하는 것이다.

풍물패 중엔 풍수깨나 읊조리는 장형이 나섰다. 상모를 쓴 사람이 중심인물이 됐다. "산천이 개탁하고 만물이 번성할 제 풍년을 기원하며 지신께 발원이요!" 캥지캥지 캥지갱, "부 모자식 화목하고 형제자매 우애 좋고!" 캥지캥지 캥지갱.

회장을 필두로 꽹과리와 징, 장구와 북을 두드려서 잡귀를 물리치는 것이다. 한복 치맛자락을 허리띠로 질끈 동여맨 안 주인은 양손을 높이 들고 큰절을 세 번 한다. 거기다 돈이라 도 나올라치면 풍물패들은 더 신이 나게 풍장을 쳤다. 마당 의 지신, 샘물의 신, 굴뚝의 신들은 꽹과리 소리에 질려 저 멀리 달아났나 보다.

좀 더 살림이 풍성한 집에 도달하면 곡식 말이나 자루에 퍼담아 내온다. 동네가 떠나가도록 난리굿을 끝으로 술잔이 돌아가고 지전과 곡식은 거두어 가져가서 떡을 해 먹었다. 동네에 공동운영자금이 필요하면 풍물패를 동원하는 수단을 써서 마련하기도 했다.

음력 이월까지 명절을 쇠었다. 이월 초하룻날은 머슴들 명절로 콩 볶아 먹는 날이라며 이런저런 명분을 내세워 농한기를 슬기롭게 즐겼다.

우리 어머니는 전방을 운영했던 적이 있다. 그때도 정월에 동네 경로당 노인들이 무리 지어 거리로 나왔다. 우리 가게 앞에서 한바탕 풍장을 신바람나게 두드려댔다.

겨울엔 가게 매출이 뜸하더라도 노인들의 흥을 깨트리기가 뭐했던지 호응을 해줬다. 무엇보다 한 해 동안의 운수대통을 위함이었다. 막걸리 한 말에다 쌀 한 말 그리고 복채까지 상에 놓았다. 기분이 동했던지 더 오래도록 더 힘차게 액막이를 해주었다. 법당에서 불전함에 보시를 하면 기도 스님에게 힘이 붙듯이. 전방 마당으로 집 둘레로 돌며 하늘의 천신과 땅의 지신을 위해 주었다.

80년대는 모든 물자가 귀했다. 그래서 가정집 열 집을 돌아도 그렇게 복채가 넉넉히 나오기는 어려웠다. 우리 조상들은 신을 위하는 일을 으뜸으로 여겼다. 거의 받들다시피 하며 의지를 했으니까.

어머니는 어려운 살림에도 정월이면 제사상을 정성껏 차려 놓고 안택굿을 하여 집안의 터주를 위로했다. 안택굿 말고도 이사할 때는 지신을 위해 꼭 안방의 네 귀퉁이에 막걸릿잔을 부어 놓았다. 그리고 이삿짐이 도착하기 전에 솥과 요강을 먼저 가져다 아랫목에 모시듯 놓고서야 안심을 하셨다.

그리고 빨간 팥을 켜켜이 얹은 시루떡을 집에서 쪄서 상에 받쳐 올리는 건 기본이었다. 떡시루 옆에는 언제나 통북어 한 마리가 접시에 앉아 있었다. 절을 하고 나서 끝으로 하나의 의식이 또 남았다. 집 안 구석구석에 모두 떡 접시를 올리었다. 그것으로도 모자라 화장실에도 떡 쪼가리를 떼어다 놓았다. 마당의 하수구 입구에는 막걸리를 찌뜰름거렸다.

남의 집에서 가져오는 떡이나 음식도 그냥 먹지 않고 조금 떼어서 창밖으로 던지며 "고수레!" 하고 주문을 외웠다. 들이나 산소에서 그리하는 것은 땅에 기어 다니는 생물을 위해서라기보다는 먼저 신에게 바치는 일이며 또한 먹은 음식이 탈나지 말라는 의중도 있는 것이다.

집알이도 그렇다. 이사 간 집을 구경하기도 하지만 혹시라도 나쁜 신이 있다면 그걸 누르려는 뜻도 지니고 있다. 그래서 주인은 푸짐하게 차려놓고, 축하객들은 시끌벅적하니 상을 두드리고 터 밟기를 해주는 것이다. 액을 막아주려는 뜻이다.

나도 어머니의 영향을 받아서인지 아침밥을 하러 부엌에 들어가기 전 양치질하고 세수부터 하게 된다. 분무기로 머리에 물을 뿌리고 말끔히 빗어 넘기고서야 아침밥을 시작한다. 내 눈에는 보이지는 않으나 조왕신이 계셔서 나의 흐트러진 모습을 보고 노하실지 모른다는 생각이 들어서다.

매일 가족과 나의 밥을 해 먹이고, 해 먹는 신성한 곳이므로 예를 갖추어야 한다. 아무도 보는 이 없지만 누군가가 보고 있다는 느낌이 들어서다. 집 둘레에는 여기저기 일만팔천 신이 있어서 우리를 평안하게 보살펴 준다는 생각이 종종 든다. 그래서 항상 몸가짐을 바로 한다.

# 6

## 희망 나무, 네 그루

희망 나무,
네 그루

# 해프닝

"어머니 알았지요? 아버지와 식사도 따로 하시고 각방 쓰세요!"

아들은 많이 긴장되어 있었다. 조금 있다가 또 카톡이 왔다.

"세수수건도 각자 쓰시죠?"

병원에서 헤어진 지 얼마 안 돼서, 자꾸 그러니 짜증이 나려 했고, 겁이 많은 난 조금씩 떨렸다.

기저질환이 있어 근래 6개월 동안 집에만 박혀 지냈다. 운동이라곤 오후에 천변을 걷는 게 고작이었다. 밤에는 매트를 깔고 요가 기본동작을 해보는 것이 전부였다.

그렇게 지내고 있는데 설상가상으로 아들이 허리가 많이

아프다며 아무래도 큰 병원으로 가서 정밀검사를 받아봐야 겠다고 했다. 지인이 소개해준 김포공항 근처의 전문병원을 찾아 하루 입원을 하게 되었다.

옛말에 "막내 울음소리는 저승까지 들린다"고 했다. 그만큼 막내와는 막역한 사이인가 보다. 많은 자손을 낳아 기르던 때는 늙은 부모라서 애절했을 터이고, 모유 수유도 조금밖에 못 먹였으니 그 속 타는 심정이 오죽했으랴.

우리 막내는 어렸을 때부터 유난히 의타심이 많고, 나에게 기대는 편이다. 아들은 장남 겸 막내다. 낯가림을 많이 해서 엄마 품에서 잘 떨어지려 하지 않아 애먹으며 키웠다. 그 울음소리는 지금도 귀에 딱지처럼 앉았다. 그래서 모유 수유도 돌이 지나도록 하게 되었다.

장가를 가서 애아버지가 되었어도 그런 편이다. 좋은 말로 하면 딸 같은 아들이다.

그래도 제 자식 키우면서 살림 꾸리고, 간간이 부모 걱정 하는 걸 보면 아들은 아들이다. 제 누나는 혼자서도 잘 헤쳐 나가는 성격이다.

지금의 막내들은 형제가 많은 것도 아니어서 엄마 사랑을 굶주린 것도 아니다.

"코로나가 무서우니 어머닌 병문안 오지 말고 그냥 알고만

계세요" 했지만, 얼마나 아프면 입원까지 했을까 생각만 해도 살이 아프고 떨렸다. 옷을 대충 주섬주섬 걸치고, 먹을 것을 둘쳐 싸서 가지고 한달음에 찾아갔으나 침대엔 금식 팻말이 보였다. "배가 고픈데 먹을 수가 없네요" 한다. 그 말을 들으니 더 맘이 짠하다.

누워서도 거동이 어려운 아들은 수액을 주렁주렁 달고 있어 화장실 출입이 힘들어 보였다. 내가 병실에 들어서니 무엇 하러 왔느냐는 식으로 책망 비슷하게 했지만, 그래도 잔일할 게 있었다.

시술 전 한 시간 못 되어 간호사가 간간이 열을 체크 하더니, 막상 수술 시간이 되니 담당 의사는 고열이라며 "오늘 수술 못 합니다" 하더니 퇴원을 종용했다. 슬그머니 부아가 치밀었다. 열이 나면 원인을 찾아서 하고자 했던 치료를 해야 하건만, 책임을 회피하는 태도가 불손해 보였다. 늙정이 의사는 느린 말로 "퇴원하여 보건소로 직접 가서 '코로나19' 검사를 받아 보세요" 했다.

그 말이 떨어지기 무섭게 난 사시나무 떨 듯하며, 옷장에 널브러진 아들의 옷가지들을 어떻게 꾸렸는지도 모른다. 아들은 콜택시를 불러 제집 부천으로 가고, 난 긴 구간을 전철 타고 안양으로 왔다. 지금부터 우리는 같이 있어서는 아니

될 사람들이다.

아들은 보건소로 곧장 가서 '코로나19' 검사를 받았다고 한다. 3일 후에나 결과가 나온다는 것이다. 남편도, 딸도 모르게 다녀온 터라 걱정을 털어놓을 사람도 없었다. 뒷날에도 아들은 계속 카톡을 보내왔다.

"엄니는 기저질환도 있고 하니 밖에 나다니지 말이요."

"그런 말 좀 그만해라. 겁이 나 죽겠다!"

이틀 후에 보건소에 의뢰한 결과 '코로나19'가 아니라는 판정이 나와 놀란 가슴 쓸어내렸다. 불면의 밤 이틀은 생지옥 같았다.

아들은 일주일 후 척추병원에 다시 예약하여 무사히 시술 받고 허리를 펴게 되었다.

"코로나바이러스 네 이놈, 잡히기만 해봐라! 능지처참하리라!"

# 탈수기

우리집에서 나의 애장품은 목욕탕에서 쓰는 탈수기로, 나를 도우며 30여 년을 같이 하고 있다. 전자제품 서비스센터에서 우연히 알고 사들인 제품이다. 다른 전자제품도 거의 그렇다. 고장이 나지 않는 한 그냥 쓰고 있다. 세탁기가 그렇고 냉장고, 에어컨, 전자레인지도 나의 곁에 붙어살고 있다.

내게 있어 탈수기는 없어서는 안 되는 애장품이다. 여자들은 살림 장만하는 재미로 산다고 하는 이도 있지만, 나 자체도 연식이 좀 되어 고물이 되어가고 있다. 이 나이에 그런대로 그럭저럭 살다 갈 일이지 살림은 사들여서 무엇하랴. 내가 쓰던 물건들을 가져다 쓸 사람도 없고 모두 쓰레기 되어 처분될 물건들이다.

그런데 세탁기가 있어도 여름옷은 손빨래를 자주 하기에 탈수기만 자주 이용한다. 두 식구에 대형세탁기를 돌리는 건 낭비라 생각한다. 물, 세제, 전기, 시간을 빼앗기는 것이다.

어린아이가 있는 것도 아니어서 그때그때 손으로 빨아야 비로소 안심이 된다. 손이 고생을 좀 한다. 그렇다고 빨랫감을 모아 놓으면 까탈맞은 남편은 질색한다. 그러다 보니 어느 때부턴가 자기 옷은 자기가 처리하는 매우 현명하게 바뀌었다. 이 또한 미니 탈수기가 제 역할을 할 수 있기 때문이다.

양말이며 수건 같은 자잘한 세탁물은 구정물을 쏙 빼 주고 빨리 마르니 여간 신통한 게 아니다. 몸통이 작아 자리 차지도 조금 하니 일석이조다. 목욕탕에 자리하고 있으니 코드만 꽂으면 원심력에 의해 서너 가지 옷가지는 문제없다. 원심력은 어떤 힘에 존재하는 것이 아니라 관성에 의한 효과일 뿐이다.

신세대 주부들은 밖에 나가 경제 활동을 하니 웬만한 물 세탁감도 업소에 맡긴다. 글을 써온 난 그런 것까지 대가를 지불하기는 어렵다. 세탁소 가서 맡기고 찾아오는 그 시간에, 얼른 집에서 말끔히 빨아 남향집 햇빛들이 재재거리는 빨랫줄에 널어 말리면 금방 마른다. 우리 속담에 '봄볕에 속옷 열 번 빨아 입고 시집간다'고 했다. 그만큼 봄 햇빛은 강렬하고 작렬하다. 예찬이 나올 만하다.

한때 내 몸 건강에 빨간불이 들어와 있을 때 세탁기 돌릴 기운도 없어 이불을 세탁소에 맡겼다. 기계를 얼마나 세게 돌렸던지 가장자리 이불깃이 나발나발 해졌다. 헌 이불이라 그랬으려니 하고 항의도 못 했다. 집에서 차분히 널찍하게 세탁했더라면 그 지경은 안 됐을 거라는 좁은 생각에 사로잡혔다. 넓은 다라에 가루비누를 풀어 넣어 발로 자근자근 밟아 주었더라면 하는 뒤끝 없는 생각을 바꿔 넓혔다. 그래서 드라이클리닝 제품만 업소에 맡긴다.

옛날에 아버지와 아들 세탁기술자 부자가 살았는데, 아버지가 늙어 병들어 죽게 되었다. 죽음이 가까워져 세탁소를 아들에게 물려줄 시간이 왔다. 숨이 넘어갈 즈음 '꼭'이란 단어만 남기고 아버진 떠났다. 장사의 비밀병기는 부자간에도 일러 주지 않고 있다가 숨이 끊어질 때서야 일러주었다는 것이다. '빨래를 물에서 건져 꼭 짜주면 옷들이 윤이 난다'라는 말뜻이라고.

어떤 세탁소는 물 세탁감도 '이건 드라이클리닝' 하며 받아 놓는다. 그러니까 우리는 얼마나 어리숙한가.

우리집의 탈수기도 한 1분에 타이밍을 맞춰 주면 말끔히 짜준다. 그렇게 간단한 이론의 탈수기를 만든 이가 훌륭해 보이는 오늘이다. 나이 듦에 자꾸 손아귀 힘이 빠져 없어지니, 마늘 빻아 담은 병뚜껑조차 열기가 어려워지고 있다. 홀로서기 위해 자주 연습해 보지만 잘 되질 않아 걱정이다. 오늘도 아끼는 저 애장품 덕을 톡톡히 보고 있다. 내가 쓰는 것은 다 애장품이 될 수 있다.

하지만 휘딱 버리는 일을 더디 하는 것은 나중에 자식들 차지다. 근래 들어 한 번씩 입어본 한복들을 이웃 사람이 개량 한복 만든다고 하여 열 벌이나 가차 없이 처분하였다. 언제 날 잡아 남편의 양복도 정리해야 한다. 모두 유행이 지나고 품이 맞지 않는 것들이다. 세월은 자꾸 바뀌는데 옛 생각만 하는 것은 그냥 고집일 뿐이다.

# 가족 간의 호칭

이제 막 결혼한 사위나 며느리는 북적거리는 친척들의 호칭을 어떻게 불러야 하는지 헷갈리기 마련이다. 가제 낯선 집에서 서름서름하니 '서리병아리 붙들어다 놓은 것'처럼 힘이 없고 어설퍼 보인다.

가족 간의 호칭은 알면서도 쑥스럽고 아리송하다. 딱히 맞는 호칭이라고 장담할 수 없을 때 난감할 수밖에 없다. 우리도 당연히 딸이 먼저 결혼했으니까 사위가 들어왔다. 사위가 우리를 부를 때 써야 하는 호칭에 대해 교통정리를 해줬다. 장인을 '장인어른' 하고 부르기가 그러니까 그냥 '아버님'이라 부르고, 장모에게는 '장모'라는 호칭을 그냥 쓰게 했다. 본가가 지척에 있어 왕래가 잦으니 헷갈릴 것 같았다.

며느리가 시집와서 삼 일 되던 날, 아침밥을 먹고 티타임이 벌어질 무렵 호칭에 대해 일러 주었다. 시아버지에게는 '아버님', 시어머니에게는 '어머님'이라 불러라 하고 쐐기를 박았다. 손위 시누이에게는 '형님'이라 부르게 했다.

어느 집 며느리의 경우는 시부모를 '시아빠, 시엄마'라 지칭했고, 손위 시누이에게는 '언니'라 부르는 것을 보고 하품을 쳤다. 식구가 생길 때마다 입에 익을 때까지 바로 잡아줌이 서로 간에 품위도 있고 정도 돈독해진다.

반대로 우리가 며느리를 부를 때는, '새아가야' 하다가 아이를 낳은 후엔 '동윤에미야!' 하고 부른다. 며느리를 사랑스럽게 불러주면 메아리가 되어 며느리도 우릴 다감하게 부르게 된다.

내리사랑이라고 어른이 사랑을 베풀면 아무리 서먹한 며느리더라도 어머님 아버님 하고 착착 감기게 마련이다. 남편 하나 바라보고 낯선 집에 들어와서 깊은 정을 들이려면 식구들의 호칭부터 불러나가는 연습을 시키는 것이 앞으로 도타운 사이가 되는 것이다. 부르면 부를수록 마음의 거리는 점점 가까워지는 것이다.

아들도 딸도 이제는 사십을 바라보는 나이들이라 이름을 부르기가 뭣해서 '민승에미야, 동윤애비야' 한다.

우리집은 가족이 단출하니까 그렇게 복잡할 건 없다. 사위가 부를 땐 손아래 처남은 그냥 '처남'이라 하면 되고, 사촌 손위 여형제는 '처형'이라 부르고 손아래 여형제는 '처제'라 하면 된다. 며느리가 시누이 남편을 칭할 때는 '아주버님'이라 하여 애초부터 입으로 연습을 해두는 것이 가족 간의 관계가 원만해지는 것이다.

나의 큰댁 남편 맏형의 맏아들은 맏조카다. 그러니까 장조카에게는 '해라'를 못하는 것이다. 그랬느냐, 저랬냐 하고 경박하게 하는 것은 본디 없는 말솜씨가 되는 것이다. 장조카는 그 집안의 혈통을 이어가는 막중한 사람이다. 작은어머니이더라도 깍듯이 해서 위신을 세워 주는 게 마땅하다는 생각이다.

어느 사람은 사위에게 근본 없이 함부로 이름을 부르는 이도 있다. 미운 사위의 문제가 아니라 장인 장모의 품성이 달린 문제다. 그것은 예의에 어긋나는 것이다. 사위라고 하던가, 성 앞에 '0서방'이라 함이 옳다. 지방마다 풍습마다 사람마다 다르기는 하지만 예의범절을 앞세우는 집안이라면 적어도 사위에게 '해라'보다 '하시게' 하는 게 맞다. '자네'라는 정도의 지칭이 필요하다. 요즘은 자식도 조금 두고 흉허물이 없다 보니 사위 이름을 아무렇지 않게 부르는데 불리우는 사람이나 듣는 사람의 귀를 어설프게 하고 만다.

남의 집 사위를 호칭할 때는 좀 품격 있게 '서랑婿郎'이라고 칭해야 된다. 내가 부르고 말할 때, 남에게 말할 때, 나에게 말할 때, 남에게 자신을 말할 때 등이 다 다른 것이다.

호칭은 상대의 기분을 좋게도 하거니와 저급한 호칭을 써서 맘을 상하게도 한다. 현명한 사람은 따뜻한 가슴으로 신중하게 말을 하고 어리석은 사람은 기분대로 거침없이 입으로 말하기 때문에 상처를 남기게 되는 것이다.

# 며느리와 냉장고

내일 일요일은 아들 며느리가 오는 날이다. 내가 점심을 같이 먹자고 초대했으니까. 그래서 오늘 열심히 냉장고 속을 말끔히 정리정돈하여 버릴 것 버리고 법석을 떨었다. 그리고 싱크대 언저리도 정리정돈하고, 행주도 락스 물에 담가 말끔히 빨아 널었다. 또한 개수대 거름망도 비누칠해 말갛게 닦아 끼우니 손님이라도 오는 날처럼 분주했다.

며느리가 밥을 차리다 냉장고라도 열어보고 지저분하다 할까 봐 미리 나 혼자 조심하는 편이다. 며느리는 내 식구가 되었더라도 흉이나 보지 않을까. 또는 보고 배울까 봐서 은근히 모범을 보이려 하게 된다. 아직은 며느리가 손님처럼 보여서 젊은 사람들이 늙은이가 해주는 밥을 수더분하게 받아먹을지 싶어서다. 솔직히 말해서 집안에 어른이 없으니까 더러는 퍼져 있는 날이 많아 지저분할 때가 더 많은 편이다.

우리는 언제부터 냉장고에 이렇게 음식을 쟁여놓고 먹으며 살고 있는가. 어렵던 시절 생각지도 못하던 행위다. 그날그날 먹을 음식이 없어 살기 힘들 때 풀뿌리나 나무껍질로 연명을 해왔다. 맛없고 영양 없어 거칠더라도 산 입에 거미줄 칠 수는 없었음이었다. 이제는 아주 오랜 옛날얘기를 하며 거들먹거리며 살 수 있게 되었다.

집집마다 김치냉장고는 기본적으로 갖추어져 있어 냉장고를 두 대 내지는 네 대씩 가동하고 있다. 먹거리가 많아서도 그렇거니와 도시 생활 주거 형태가 그럴 수밖에 없는 것이다.

아파트 생활을 하다 보니 장독이 없어진 지 오래되었다. 그래서 햇빛보기가 힘들어지니까 지금은 간장, 된장, 고추장과 젓갈까지 모두 냉장 보관을 해야만 한다. 전천후가 된 냉장고 안을 누가 엿볼까 봐 걱정이다. 뭐랄까 치부라도 보인 것 같아 부끄러워진다. 정리해 가며 쓴다고 해도 늘 안 먹는 반찬과 자주 꺼내 먹는 반찬으로 뒤섞여 복잡해진다.

얼마 전에 며느리가 출근하고 없는 날, 아들이 혼자 있는 집에 볼일이 있어 들렀다. 마침 널브러진 가전제품 전선들을 정리하던 아들이 벽에 바싹 붙어있는 냉장고를 앞으로 그러

잡아 당기려고 하니 까딱도 안 했다. 그래서 냉장고 문을 열고 무거운 김치통 몇 개를 먼저 끄집어내었다. 그랬더니 훨씬 가볍고 헐거워 바닥에 달려있는 바퀴가 잘 굴러서 일이 수월했다.

전선을 다 정리하고 냉장고를 다시 제자리에 원상태로 놓고 바로잡았다. 꺼내어 놓았던 식탁 위의 큰 김치통 중에 국물만 남은 것이 있어, 비울 겸 합쳐버리니까 단출하니 정리가 되었다. 냉장고 안은 며느리가 직장인 사람 같지 않게 가지런했다.

저녁밥을 먹고 났는데 며느리에게서 전화가 왔다.

"어머니! 냉장고 문 열어보셨어요?" 한다.

"그래, 정리 좀 하다가 빈 통은 가지고 내려왔다" 하니까,

"저희 집 냉장고 열어보지 마세요" 하고 단호한 어투로 말했다.

처음 듣는 책망치고는 강도가 좀 세었다. 아직 애를 낳지 않았으니 새 며느리나 마찬가지인데, 나는 꾸지람하는 것이 괘씸하기도 하고 섭섭했다. 컴퓨터 앞에 앉아 원고를 퇴고하다 어깨가 아파 바람 쐴 겸 아들 집에 올라갔던 것이 화근이 될 줄이야.

살림하며 어렵게 출퇴근하는 며느리가 딱해서 일 한 가지

라도 거들어 준다고 한 것이 며느리의 자존심을 건드린 것 같다. 평소 며느리에게 살림에 대해 논한 적도 트집을 잡은 적도 없었다. 너무 앞서간 나의 행동으로, 무의식적으로 냉장고를 열어본 게 잘못이었다. 며느리도 그만한 일을 가지고 신경을 곤두세울 일이 아닌데 새집으로 이사하면서 예민했던 모양이다.

아! 우리는 가까워지려면 아직 멀었나 보다. 냉장고를 트고 살만큼 살가운 사이가 아니란 말인가. 뒤끝 있는 나는 여러 날 가슴앓이를 했다. 당연히 속사포처럼 쏘아붙인 며느리는 바로 잊었을 것이다.

그때야 알았다. 딸 집 냉장고는 내 것같이 열고 닫고 정리하고 버릴 것 버리는 사이다. 그래도 딸은 친정어머니이기에 개의치 않고 창피하게도 여기지 않는다. 도리어 더 깨끗이 해주기를 한없이 바란다. 그렇다. 흉허물없는 사이란 냉장고를 개폐해도 좋을 사이라는 걸.

며느리와 나는 아직 서로를 어려워하고 있는 것 같다. 나도 며느리 앞에서는 좀 느긋해지려는 자세가 필요하다. 아직 말만 가족이라고 하지 실상은 그렇지 못한 것 같다. 며느리 앞에서 단정한 시어미, 책망받지 않는 시어미를 연상하고 있었던 건 아닌지 생각해보는 날이다.

가족이란 있는 그대로의 모습으로 대해야 되고 얼굴 보는 것으로 만족해야 되는 것이다. 한 달에 한 번 만난다 해도 어색해서야 되겠는가. 어른으로 보아주지 않아도 괜찮아, 지저분하다 해도 괜찮아, 흐트러져도 괜찮은 사이가 가족이다.

생모는 편안한 모녀 사이이고, 법으로 맺어진 고부 사이는 서로 조심해야 할 사이라고 생각하면 자체가 불편으로 가는 길이다.

내가 사용하는 냉장고를 급수색하기 전에 그때 먹을 양만을 사다 먹고 저장을 자제해야 한다. 일단 냉동실에 들어간 음식은 산뜻한 맛이 덜해 구수하지가 않다. 쟁여만 놓고 먹으려 하면 손이 가지 않으니 자주 정리해야겠다.

시집온 지 여러 해, 지금은 며느리가 우리집 냉장고를 맘대로 열고, 닫아도 말할 수 없는 시대에 살고 있다. 어른이 된다는 것은 자존감을 버리는 일이다.

# 희망 나무, 네 그루

땅속에서 금방 솟아 나온 새싹들, 생긴 기상도 아롱하구나.
에미 몸 빌어 세상을 알현한 고 녀석들
에미 자양분 받고 고물고물 굵어지는 해피트리
너희들 어느 천사가 보낸 보물이기에 이리도 이쁘둥이냐
푸른 잎 살랑여 용맹스런 꽃피우고
영근 열매 맺어 뿌리 깊은 나무 되어라.

우리집 희망 나무들아!
가족의 복된 열매 주렁주렁 맺어다오.
튼실한 과실 맺을 너희들 하나하나 태어나던 날
버슬이던 집안 등불 밝힌 듯이 환해졌다.

어서어서 자라서 되알진 재목 되어라.
우주의 음양 다 아우른 호두알 같은 영특한 머리 알
세속에 때 끼지 않은 새까만 눈 맑기도 하구나.
지혜로운 말만 들을 줄 아는 밝은 두 귀 되어라.
세상의 슬기로운 말만 할 줄 아는 야문 입 되어라.
나의 디엔에이를 함유한 너희들!
나의 혈을 이어받아 명가 이룰 희망 나무들아,
보드란 살결 생채기라도 날까 만지기도 아깝다.

민승아, 홀로 서 있어도 그림자에 부끄럽지 않은 사람 되어라
민재야, 홀로 누워 있어도 네게 부끄럽지 않은 사람 되어라
동윤아, 하늘을 우러러 한 점 부끄럽지 않은 사람 되어라
채윤아, 하늘처럼 맑고 밝고 넓은 사람 되어라
이런저런 이들과 어우렁더우렁 어연번듯 나뜬 사람 되어라

행복이 있는 집안은 웃음이 퍼지고
불행이 찾아온 집안은 울음소리가 끊이지 않는단다.
반듯하게 자라는 너희들, 보기만 하여도 실웃음이 난다.

# 산림감수와 아버지

약수터 산등성이에서 '산불 조심'이란 현수막을 노인봉사
원들이 나무에 걸고 있다. 올겨울도 건조한 날씨가 계속이다
보니 오가는 등산객들이 담뱃불을 절대 조심해야 함을 일깨
워 주고 있다.

겨울에는 불을 많이 사용하고 대기가 건조하다 보니 가정
집에서도 화재가 많이 발생하고 있다. 불은 우리 인간과 멀리
할 수 없는 꼭 필요한 것이 됐다. 밥을 해 먹고 난방을 하고
더 추워지면 난로도 피우게 되니 편리한 만큼 늘 주의해야
꼭 필요로 할 때 요긴하게 사용할 수 있는 것이다.

약수터 산언저리는 마른나무가 즐비하게 흩어져 있어서 그
야말로 부주의로 담뱃불이라도 떨어트리는 날에는 바로 산

불이 크게 번질 것 같다.

지지난해 태풍 '곤파스'로 인해 쓰러진 나무들이 바싹 마른 채 그대로 누워 있다. 60년 전만 해도 산에 나무가 없어 벌거숭이 민둥산이었다. 그래서 오죽하면 4월 5일을 나무 심는 날로 정했을까.

그 시절 초등학생까지 동원해 삽을 들고 산에 나무를 심게 했다. 한국전쟁을 당하기도 했고 땔감이 워낙 부족한 탓에 한참 자라고 있는 소나무도 그냥 베어다 때는 판국이었다. 청솔가지는 다른 나무보다 불이 괄고 오래 탔다. 소나무 속엔 송진이 들어 있어 화력이 셀 수밖에 없었다. 소나무나 잣나무에는 끈끈한 액체가 들어 있다.

동원된 초등학생들은 봄에는 어린나무를 심고, 여름엔 송충이를 잡고, 가을에는 솔방울을 주워 와 겨울에 땔 목탄 난로의 쏘시개를 준비했다.

전기나 가스가 없던 시절 석유는 더없이 귀했다. 그래서 밤에 등잔불 대용으로 관솔을 따다 불을 켜서 어둠을 밝히기도 했다. 관솔은 소나무에서 나온 송진이 많이 엉킨 가지나 옹이를 떼어다 촛불처럼 쓰곤 했다. 아침에 일어나서 석경을 보기도 전에 형제자매끼리 얼굴을 들여다보며 키득거리곤 했다. 코밑이 검게 그을려 있어서. 몸에 나쁜 가스는 없더라도 그을음이 있어서 공해 아닌 공해를 맛보기도 했다.

가을로 접어들 무렵 솔가리를 갈퀴로 긁어 가마니에 담아 넣으면 지게에 지어 집으로 나르는 일은 남동생의 몫이었다. 장작불을 지피려면 불쏘시개가 절대 필요했다.

약수터에 널려 있는 바싹 마른 참나무 둥치들을 바라보니 옛날 절박했던 때가 오버랩되어 다가온다. 세월은 흘러 장작불에 고구마를 구워 팔던 리어카도 보기 어렵다. 산속엔 땔 나무가 부지기로 많아 차라리 산의 질서를 해치고 있다. 아무래도 공공근로 아저씨들이 산속의 설거지를 한참이나 해야 말끔해질 것 같다.

50년 전 겁 없으시던 울 아버지는 산림감수와 무던히도 신경전을 벌였다. 어린 자식들을 추운 방에 재울 수는 없는 노릇이라 눈이 수북이 쌓인 뒷산에 올라가 날이 선 낫으로 청솔가지를 쪄다 군불을 때곤 했다.

산을 지키던 공무원인 산림감수가 가만히 놔 둘리가 없었다. 높은 하늘을 천천히 유희하던 솔개 같은 예리한 감지 능력의 산림감수 레이더에 포착되곤 했다. 아버지의 지게와 낫을 빼앗고 읍내 지서로 가자는 둥, 갈 수 없다는 둥 옥신각신하다 결국엔 훈방조치로 끝나곤 했다.

"다시 안 할 터이니 한번 봐 달라"고 하면 일이 쉽게 끝나련만 자존감 강한 아버지는 절대 숙이는 법 없었다. 아버지 나름대로 나무에 대한 지식이나 철학으로 산림감수를 설득하려는 남산골샌님 같은 대꼬챙이 고집을 내세우곤 하셨다. 아버지의 지론은 나무는 옆 가지를 쳐줘야 올곧게 자란다고 기어코 이겨 먹곤 했다.

어린 날 내게 있어 산림감수는 저승사자만큼이나 무서웠다. 행여나 그 무서운 지서로 붙잡아 가기라도 하면 어쩌나 하고.

지금은 연료의 종류도 각양각색이다. 전기, 가스, 석유, 연탄 등이 있어 편리하기 그지없다. 더러 나무로 불을 피우는 목탄 난로가 있어 화재 위험을 유발하고 있긴 하지만.

이렇게 땔감이 산중에 대접을 못 받고 산재해 있는 것을 보고 있노라니 이 겨울 자꾸 옛날을 연상케 된다. 4월 5일 사방공사에 참여하여 나무 심던 일, 깡통에 나무젓가락으로 징그러운 송충이 잡던 일, 동글동글한 솔방울 줍던 일, 동생과 솔가리를 그러모아 가마니에 담아 나르던 일이 그리운 옛일이 되었다.

방한모에 방한복 입고 나무지게 지고 산으로 오르던 아버지 모습과 겹쳐져서, 자꾸 죽어서 말라버린 나무에게 시선이 멈춰진다. 하얀 눈이 내리는 이 겨울에는 더더욱.

다시 텃밭이 있는 단독주택의 풍경이 그리움 되어 물처럼 밀려온다. 소소한 채소를 내 손으로 심어서 필요할 때 뜯어 먹으며 살고 싶다. 거실 한 귀퉁이에는 목탄 난로를 피워서 집안을 훈훈하게 만들어 놓고 타고 남은 그 불에 감자랑 고구마를 구워 먹을 수 있게 꾸며서 살고 싶다. 다시 솔향이 은은히 풍기는 솔가리 나무를 갈퀴로 긁어오고 싶다. 솔향 가득한 난로 가에 앉아 책장이나 뒤적이며 살고 싶다.

# 작은 전설

학창 시절에 운동장 조회를 설 때 언제나 1번으로 앞자리에만 섰다.

"앞으로 나란히!" 급장이 구령을 부치면 더 반듯하게 서려고 늘 노력했다. 행여라도 기준이 틀리면 2번부터 구부러져 뒤에까지 삐뚤어지니까. 잔뜩 겁을 먹고 긴장을 하곤 했던 기억이 몸에 배었다. 지금도 단체 사진을 찍으려면 마스코트처럼 맨 앞에 서곤 한다. 모두 단신短身인 내 신장이 문제다.

교실 수업 때도 늘 앞에 앉았다. 그러면 선생님은 여지없이 걸상에 앉은 나를 불러일으켜 칠판의 답을 물었다. 그래서 언제나 초비상 상태로 마음의 무장을 하곤 했다. 영국 속담에 '모범은 훈화보다 유효하다고 했다.' 좀 늦되긴 해도 모범이 되려고 노력하는 편이다. 그래서 다니던 직장에서 주는 장한 어머니상과 표창장이 많으며 문학을 하면서는 백일장을 개최하는 단체에서 주는 상장이 수두룩하다.

시골 학교에서 '예당저수지'로 걸어서 원족을 갈 때도 맨 앞에 서시 걸으니 으레 선생님이 손을 잡아 주었다. 담임 선생님의 별명은 꺽다리, 거기다 내 별명은 땅꼬마였으니 신장의 차이가 가히 짐작하고도 남으리라. 제발 손 좀 놓고 갔으면 좋으련만, 귀엽다며 기어이 잡아끌고 갔다.

나는 원래 1949년 음력 8월 16일생인데, 어머니 뱃속에서 이탈되어 나오며 울지를 않아 강보에 싸 윗목으로 쭉 밀어놓았다고 한다. 숨도 쉬었다 말았다 하니 사람 되기는 글렀다고 판단한 어른들은 한숨만 쉴 수밖에.

그런데 어찌어찌하여 3일 만에 고물고물 깨어나 울었다고 한다. 어찌나 체수가 약한지 차마 손으로 만질 수가 없었다고 부모님은 아련한 전설을 들려주었다. 그래서 언제 죽을지 몰라 출생신고도 2년 늦게 했다. 면서기였던 아버진 나를 1951년 8월 16일로 신고하셨다. 그래서 학교도 아홉 살에 들어갔다. 두 살 어리게 살고 있다. 연금개시도 2년 늦게 시작한 셈이다.

병약하게 살아가던 내 나이 지천명쯤 되어서 아버진 말씀

하셨다. 아들딸 자연분만하였고, 문학 활동까지 하는 나를 보고,

"곧 죽을 것 같은 것이 살아나서 못하는 게 없네!"

'쭈그렁 밤송이 삼 년 매달려 있다'고 허약한 난 칠십이나 살았다. 실제 나이로 올해 칠십삼 세를 맞이했다. '인간 칠십 고래희'라고, 먼 옛날에는 사람이 그렇게 오래 살지를 못했나 보다.

그래서 나는 작은 전설이다. 요즘에 70은 나이에 들지도 못한다. 명함도 내밀기 어렵다. 우리가 잘 아는 피천득 선생님도 몸이 약해 근근이 살아내다가 그래도 구십을 살고 가셨다.

120살을 향해 잘도 살아가기에 구십 노인이 허다하다. 워낙 의술이 발달하여 약도 좋고 건강식품도 풍부하여 자연적으로 수명연장이 가능하다. 우스갯소리로, '수 사나우면 백 수, 구십구 세까지 산다'고 한다. 문제는 무병장수만이 능사다.

아프면서 이 약 저 약 먹으며 즉 유병장수하는 것은 별 의미가 없다. 그런데 어쩌랴 귀에서 소리가 나고 입 마름병이 심해, 오늘도 나는 여름을 잘 나기 위해 건강원에서 흑염소 탕을 맞춰다 조석으로 마시고 있다. 길게 살려는 것보다 당장 불편함을 해소키 위함이다.

어려서 건강치 못해 근근이 살아온 나는 엄마와 함께 한약

방에 자주 드나들던 기억이 또렷하다. 엄마가 지금도 살아 계
신다면, 세 살 때 얘기부터 있었던 전설을 재미있게 논하며
모녀간의 정을 다지련만, 엄마는 단명하셔 63세에 고혈압으
로 일찍 돌아가셨다.

　이게 나의 자화상이자, 작은 전설이다. 그래서 운동의 중요
성을 터득하여, 컴퓨터 앞에서 떨어져 나가 밖으로 나돈다.
나름대로 요가와 걷기를 열심히 하는 편이다.

# 추억 속의 소꿉장난

어린 날 시골에서 소꿉장난하던 기억이 머릿속에 각인되어 있다. 잔돌을 주어다 아궁이를 만들고 사금파리로 솥을 걸고 노란 솔잎으로 불 때는 시늉을 했다. 그리고 쑥 잎을 따다 찧어 떡을 만들고 상추 잎으로 반찬을 만들었다. 가느다란 싸릿대를 꺾어 젓가락을 만들었다.

삼 껍질을 벗기고 나온 가느다란 막대기 '저릅댕이'로 울타리를 만들고 큼직한 돌로 대문을 만들었다. 꼼꼼쟁이 순이와 약음쟁이 숙이는 주문을 외었다. '열려라 참깨, 그러면 거짓말같이 돌문이 열리곤 했다.

우리 소띠클럽은 여름이 막 여물어 갈 때 천렵을 해보겠다고 책가방을 마루에 던지고 산으로 올랐다. 항상 가는 그곳

황새바위를 향해 갔다. 언제 보아도 황새바위에는 황새가 많았다.

우리는 새들을 달래서 내쫓고 그 자리를 차지했다. 높은 산자락에서 내려오는 맑은 일급수의 좁은 도랑의 물은 가재를 키우고 있었다. 넓은 황새바위는 우리가 많이 커서 갔는데도 널따랗고 웅장했다. 햇빛들이 먼저 와서 바위를 덥혀 놓아 엉덩이가 뜨쓴뜨끈했다.

씩씩한 순이는 돌을 주어다가 가져온 양은솥에 밥하고 가재탕을 끓인다고 북새를 피우며 추썩였다. 솥단지와 밥반찬 두어 가지가 다다. 솔가리와 삭정이로 불을 붙이고 부채질하니 불이 괄게 일어났다. 우리는 기분이 업되어 노래를 부르기 시작했다. "조개껍질 묶어 그녀에 목에 걸고~" 아련한 추억들이 주마등처럼 스쳐 지나간다.

우리 부부만 있는 집에서 다시 소꿉장난이 시작되었다. 비오는 날 파전도 딱 2장. 출출할 때 먹는 감자도 딱 2개만 밥솥에 넣어 찐다. 된장찌개도 작은 뚝배기로 한 끼 먹을 양만 보글보글 끓인다.

소꿉장난 같은 하루살이를 끝내고 저녁 11시가 되면 현관 보조키를 잠그며 혼잣말한다. '오늘도 무사히 1막은 끝났다!'

# 아버지께

아버지! 적막강산 같은 겨울이 가고 봄이 오고 있어요. 이렇듯 화창한 봄날엔 심란하도록 두 분이 그리워집니다. 어머니와 아버지가 계신 광덕산 양지쪽에는 작년과 똑같이 연분홍 철쭉이 흐드러지게 퍼지고 있겠지요.

그 여름이 잔인스럽고 원망스럽기만 합니다. 덥고 길기만 한 8월은 기어이 아버지와 우리를 갈라놓고 말았어요. 서울 큰동생 집에서 기거하시기가 얼마나 무료했으면, 허깨비 같은 몸을 이끌고 우리집에 오셨겠어요.

아버지와 그렇게 빨리 이별할 줄 알았다면 제가 다른 일을 접고서라도 좀 더 아버지를 보살펴 드려야 마땅한 것을 이제야 뉘우칩니다. 저의 집에 다니러 오셔 보름 동안 기거하시며 조석을 같이한 시간이 아버지와의 가장 긴 만남이었습니다.

아버지는 젊으셨을 때 딸의 집엔 도통 오시지 않으셨지요. 시집간 딸네 집에 가면 큰 체통이라도 깎이는 것처럼 발을 끊으셨지요.

아버지는 저의 집에 빈방이 있음에도 굳이 마다하고 거실에서 지내고 싶어 하신 속뜻을 알 것 같습니다. 얼마나 사람이 그리웠으면 그리하셨을까요. 거실에서 한데 잠을 주무시게 한 것이 못내 맘이 편치는 않았어요. 젊으실 때 같으면 거실에서 주무신다는 것이 가당키나 한 일인가요. 방석을 깔지 않은 맨바닥엔 잘 앉지도 않으시는 성품이셨지요.

이 철없는 딸은 아버지가 누웠던 이부자리를 밖으로 끌어내어 털고 또 털었어요. 뼈와 가죽만 남은 아버지의 깡마른 몸에선 더운 여름에도 허연 비듬이 떨어져 나와 이부자리가 허연 가루투성이라 싫기만 했습니다. 효녀였다면 그까짓 것쯤 보이기나 했을까요.

5년 전에 가볍게 맞은 중풍으로 거동이 불편하여 줄곧 지팡이에 의지하며 집안에서만 생활하실 때도 산책 한번 제대로 동반하지 못했습니다. 모두 후회가 됩니다. 지병인 해소천식으로 밭은기침을 자주 하실 적마다 딸인 저의 가슴은 욱죄었습니다.

또 잦은 화장실 출입이 아버지에겐 더없는 고통이었을 텐데, 꼬장꼬장한 성품은 내색 한번 안 하셨지요. 그래서 더 마음 아팠습니다. 얕은 잠에, 선잠으로 밤을 지새우는 아버지의 모습은 제 가슴이 천 갈래, 만 갈래 찢어지는 고통이었습니다.

지금 생각하니 아버지의 기력이 쇠하셨는지라 화장실을 들락거리셨고, 소변에서 나는 냄새는 암모니아수를 뿌린 듯 역했지요. 딸이 아니고는 차마 참아낼 수 없는 고역이었지요.

거실에서 선잠으로 새벽마다 뒤치락대는 아버지를 볼 때마다 이 딸도 더는 자리에 누워 있을 수 없는 날이 많았답니다. 허사로 눈만 감고 있을 뿐, 잠 한번 달게 못 주무시니, 아버지! 이 딸도 많이 괴로웠습니다.

어머니가 아버지를 버리고 저세상으로 가신 지 꼭 10년, 그 많은 세월이 아버지에겐 참으로 고독한 삶이었다는 걸, 이 딸은 잘 압니다. 그러기에 더 가슴이 아립니다. 얼굴의 수많은 검버섯과 깊이 파인 이마의 주름살, 뼈와 가죽만 남아 피골이 상접하니, 짐짓 낮잠이라도 주무시는 모습을 바라만 봐도 죄스럽던 날들이었답니다.

여름이 물러서길 더디하던 팔월 끝자락, 서울로 올라가시고 20일 후 하늘이 무너져 내리는 비수 같은 소식이 왔습니다. 8월 22일, "누나! 아버지가…" 하며 다음 말을 잇지 못하던 동생의 떨리는 음성에 경련이 일며 몸서리치도록 슬픈 날이었어요.

"아니야! 아니야! 그럴 리가 없어"라고 입속으로 소리쳤지만 분명 현실이었습니다. 보라매병원으로 오라는 얼음보다 차가운 전달을 받았습니다. 옷을 입은 채로 달려갔지만 이미 아버지 몸의 온기는 없어진 지 오래여서 차갑기만 했습니다. 두 번씩 다가온 천붕지통天崩之痛을 감당할 수가 없었습니다.

첫 외손녀를 그리도 예뻐하셨거늘, 혼인날을 받아 놓고 사돈댁에 알리기도 전에 아버지는 두 달을 지탱하지 못하고 바람처럼 떠나시더군요.

"애야! 왜 혼인날을 안 잡니?" 하시던 말씀이 멍으로 남습니다. 현경이의 혼사를 아버지 계실 때 치르지 못한 죄책감 하나 더 만들고 말았어요.

아버지! 이제 이승의 인연일랑 모두 접으시고 저승에 계신 어머니와 그간의 회포를 푸시며 편안한 저승 생활 되시기를 부처님께 빕니다.

두 분은 평생 남에게 덕을 베풀며 사셨기에 좋은 곳으로 가셨으리라 믿습니다. 엄마 살아생전에 부처님 도량을 깊은 신심으로 믿고 따랐기에 더불어서 아버지도 부처님 품으로 가셨으리라는 생각이 듭니다.

사십구재는 두 분이 다니시던 세검정 '문수원'의 박 법 왕 궁보살님이 우리 형편보다 훨씬 분에 넘치게, 많은 고高스님들을 불러 정성껏 지내 주셨습니다. 아버지, 어머니 두 분 부디 연꽃이 반발한 연화대蓮花臺로 회향하시기를 축수합니다.

아버지가 우리와 인연을 끊으시던 날, 현관에서 넘어져 흘리신 피를 보고 오열하지 않을 자식이 어디 있겠습니까. 임종하지 못한 불효자식들을 많이 원망해 주세요. 수족手足이 불편한 아버지를 집안에 혼자 방치하던 그날을 원망해 봅니다. 자식들 모두 통한의 눈물로써 용서를 구합니다. 아버지의 아들과 딸들은 슬픔을 삼키며 충실한 삶에 임하고 있습니다.

늘 '정직하게 베풀며 살라'는 뜻 받들어 가슴에 새기겠습니다. 이제야 알았습니다. 아버지가 계신 사람들이 한없이 부럽습니다. 그들이 부자처럼 보입니다. 아버지 없는 세상은 아주 가난해진 맘이 듭니다.

아버지! 이렇게만 불러도 금시 눈시울이 붉어집니다. 아버지! 편지 부칠 곳 없어 천안공원묘지 제단 밑에 두고 갑니다.

# 4인방 친구

1년에 한 번씩 만나 목욕을 같이하며 회포를 푸는 고향 친구 모임이 있습니다. 여기저기 흩어져 살고 있지만, 만날 때마다 얼굴을 맞대고 가슴속 깊은 곳에 있는 이야기를 나눌 수 있는 진솔한 4인방입니다.

언제나 하얀 눈이 쌓이는 2월 농한기에 온양온천역에서 만나 입욕을 하고 방바닥이 따끈한 밥집 '시골밥상'에서 밥을 양푼에 비벼 먹습니다. 별스럽지 않은 가정식 백반이지만 우리는 늘상 찾곤 합니다. 반찬을 금방 해서 내어 오고 청국장도 일명 퉁퉁 장도 뚝배기에서 언제나 바글바글 끓고 있습니다. 촌사람은 도시에 사는 나부터라도 고향의 맛을 버릴 수가 없습니다.

시골 작은 마을의 남자동창생 이야기부터 선배 언니들의 얘기까지 넣어 잘 비벼 먹습니다. 누구는 남편이 속을 썩여 일찍이 할머니가 되었다는 둥 시시껄렁한 말과 연애 박사인 아무개는 아직도 장가를 못 갔다는 이야길 들어주는 날입니다. 그야말로 배꼽 친구들은 형제간보다 더 가깝고 더 많은 에피소드가 있답니다.

어릴 적 뱃속에 회충이 많아 매일 배앓이를 하던 친구는 지금 어엿한 사모님이 되었습니다. 교장 선생님의 막내딸인 홍임이도 수의사 사모님이 되었습니다. 우리보다 1년 선배인 그녀는 우리말을 잘 들어주니 인기가 많습니다.

목욕도 하였고, 밥도 먹고 했으니, 눈 호강을 위해 길을 떠났습니다. 아산 외암민속마을로 들어가 이곳저곳을 살폈습니다. 꼭 용인 민속촌에 있는 것처럼 농촌이 고향인 우리는 어색하지가 않았습니다. 불 때는 아궁이가 있는 가마솥 언저리에 앉아 사진도 찍었습니다.

그러다 한 친구의 남편에게서 전화가 왔습니다. 배불러 있던 소가 송아지를 두 마리나 낳았다는 전갈이었습니다. 그 친구는 빨리 가서 산모에게 미역국을 끓여 먹여야 한다고 자리를 박차고 나갔습니다. 어렸을 때부터 부산스러웠습니다. 지금은 억척네로 불린답니다.

그렇게 1박하려고 보퉁이를 꾸려왔던 우리는 약속이 무산되었지요. 김이 새는 순간이었습니다. 차츰차츰 해가 갈수록 친구들의 어릴 적 얼굴은 없어지고, 영숙 엄마, 홍임 엄마, 순이 엄마, 현순 엄마의 얼굴로 바뀌어 가고 있습니다.

세월이 가도 우리의 친구 관계는 영원할 것입니다. 친구들은 하루를 충실히 살고 버스로 기차로 전철로 뿔뿔이 흩어져 헤어졌습니다. 다시 보통 삶으로 되돌아가는 중입니다.

현순이가 싸준 만두를 같은 방향으로 기차 타고 가던 홍임이와 열차 안에서 먹었습니다. 학창 시절 수학여행 가던 기억이 떠오르며 추억을 다시 느끼는 시간이었습니다.

친구는 참으로 소중한 재산입니다. 어려울 때 위로가 되고 마음이 맞을 때는 친동기간보다 더 좋습니다.

나에게 친구란 헤어져 있어도, 멀리 있어도 그리워지는 이가 친구입니다. 어떤 어려움이 있어도 털어놓고 상의하고 좋은 일이 있어도 먼저 생각이 납니다. 더군다나 나는 고향을 일찍 여읜 사람이라, 늘 고향 소식을 낱낱이 전해주는 이가 더 가까운 친구랍니다.

나의 탯줄이 묻힌 곳 미루나무가 여러 개 서 있는, 지금은 친척이 아무도 살지 않는 고향집을 늘 그리워합니다. 아직껏 고향을 지키는 순희는 고향 소식을 자세하게 전해주곤 합니다. 그게 고마워서 만나면 끌어안고 온양역이 들썩이게 격한 표현을 합니다. 객지 친구들과는 할 수 없는 또 다른 인사법입니다.

또다시 2월을 기다립니다. 1년 동안 쌓인 이야기 주머니를 풀어볼 날을 기다려 봅니다. 그날은 멋들어지게 눈이라도 날려 주었으면 합니다. 강아지처럼 좋아할 친구들 모습을 그려보게 됩니다.

# 새 가족

## 새엄마

난 그동안 엄마 품이 그리워 자주 울었다. 그럴 때마다 원장님은 시끄럽다고 머리통을 쥐어박았다. 가끔 이곳을 방문하는 사람들을 보면 안아 달라고 어리광을 부리기도 했다. 우리 또래들이 거지반 그랬다.

새엄마는 나를 큰 타월로 폭 싸서 이유식과 간식거리, 명찰 등을 가방에 가득 챙겼다. 나도 드디어 입양되어 가는구나. 내가 제일 좋아하는 삑삑이와 당근과 반짝이가 듬성듬성 박혀 있는 딸랑이 공도 챙겨 담는다. 운전에 열중인 누나 옆에서 자는 척하는 날 엄마는 자꾸만 내려다보며 코를 귀에다

대본다.

"원 녀석두 순전히 잠보구나." 난 그동안 심리적으로 마음이 놓이지 않다가 오랜만에 찾아온 행복감에 자꾸 눈이 감겼다. 마침 어린이날이라 거리는 들떠 있었다. 집에서 기다리고 있던 새아빠와 형은 내게 맛있는 걸 자꾸 주었다.

저녁이 되자 식구들이 나만 소파에 남겨 두고 각자의 방으로 들어가 잠자리에 들었다. 아무리 더운 날씨더라도 첫날부터 밖에다 재우다니 원장님께는 잘 키우겠다고 약속하고 "이건 약속 위반이야. 쳇! 나도 방에서 자고 싶은데."

날 낳아준 엄마가 보고 싶어지기 시작했다. 아침에 일어나니 새엄마가 호통을 쳤다. 어젯밤에 내가 실수로 소파에 쉬-를 하고 말았다. 오줌보가 풍선처럼 부풀어 올라 급했다. 오줌을 조금만 실례했더라면 헝겊 소파로 스며들어 감쪽같을 수도 있었는데….

어제는 인자하던 새엄마의 얼굴이 마귀할멈처럼 돌변했다. 나를 잽싸게 끌어안고는 엉덩이를 찰싹찰싹 때리며 눈을 험악하게 떴다. "아니 이런 저능아 봐! 거기서 그렇게 배웠냐!" 그러고는 다섯 대 더 갈렸다.

아침부터 매타작을 당했다. 처음에 세 대 맞을 때는 각오가 섰지만, 연달아 매질을 해대니 슬그머니 앙살했다. "이놈이 앙살까지 하네!" 하며 노려봤다. "씨─ 말로 하지 치사하게 데려온 자식이라고 약한 날 때려, 아~ 친엄마가 보고 싶다."

그때, 누나가 슬그머니 나와 얼른 방으로 안고 들어가 침대 위에 눕혔다. 새엄만 분이 풀리지 않는지 방에까지 따라와, "서늘하게 키워야 건강하지!" 하며 누나까지 싸잡아 야단쳤다.

"어! 원장님은 나보고 씨 있는 집 자손이라 똑똑하다고 했는데."

둘째 날이 되었다. 새벽부터 배가 살살 아파 왔다. 어젯밤에 먹은 우유와 고기가 유난히 맛있었더니. 배가 당기고 다리까지 당기는 게 영 심상치가 않다. 시무룩하니 소파에 엎드려 있었더니, 엄마가 나를 어르며 일으켜 세웠다. 한쪽 다리를 질질 끌며 겨우 몇 걸음을 걷다가 푹 쓰러지고 말았다.

어제의 분위기와는 다르게 모든 시선이 내게로 집중돼 가고 있다. 엄마와 누나는 아픈 증세를 전화로 어딘가에 상세하게 설명하고 있다.

"원장님! 우리 '동재'가 뭘 먹고 체했나 봐요. 무슨 방법이 없을까요. 병원문은 몇 시쯤 여나요."

"빨리 병원에 와야 합니다."

전화선을 타고 귀에 익은 원장님 음성이 들려왔다. 엄마는 걱정이 되는 듯 먼저 살던 곳에 이것저것 꼼꼼히 되묻고 있다. 병원의 전화를 의사 선생님 집으로 착신한 덕에 나는 새벽 6시에 응급실로 갈 수 있었다. 잠자다 신새벽에 부스스 일어난 원장님이 졸린 눈으로 구겨진 하얀 가운 여미며 셔터를 열어 주었다.

배를 만져 보기도 하고 작은 쇠망치로 다리를 두드리는 척하더니 "엑스레이를 찍어 봐야 알 것 같아요" 하자 엄마는 양미간을 찌푸리며 싫은 표정을 했다. "가뜩이나 살림이 빠듯한데, 아이고머니! 못 길러 먹겠다"며 핀잔을 했다.

원장선생님은 머리를 갸웃하더니 아무래도 입원을 시켜 지켜봐야 할 것 같다며, 한술 더 떠서 은근히 겁줬다. "정 상태가 안 좋으면 서울 큰 병원으로 가봐야 할 겁니다." 그러면서 아무렇지 않게 주사만 두 대나 엉덩이에다 퍽퍽 찔렀다. 그리곤 가루약을 수저 물에 개어 입을 벌리고 밀어 넣었다.

나는 입맛이 쓰기도 하고 엉덩이도 아파서 앵-했다. 참을까 하다 엄살을 부려봤다. "이놈이 아주 엄살쟁이군" 하며 술냄새 같은 역한 솜을 주사 자리에 대충 쓱쓱 문질러준다.

"에! 세 시간 후에 결과가 나올 테니 집에 갔다가 오시던가 하시오."

"꼭 완쾌되게 해주세요."

엄마는 맥없이 병원 문을 닫고 나갔다. 나는 엄마를 따라가

겠다고 있는 힘을 다해 앙앙거리며 악다구니를 했다. 이번엔 선생님이 엄마보다 더 무서운 눈총으로 나를 흘겨 쏘아봤다.

"이 녀석아, 주는 대로 넙죽넙죽 받아먹으니까 그렇지."

"모르는 소리 마세요, 그렇게 맛있는 삼겹살고기 냄새 앞에선 누구라도 이성을 잃을 걸요. 내 코는 후각이 무지 발달했거든요."

조금 있으니 거짓말처럼 아픈 배가 나았다. 나는 목을 빼고 문 쪽만 바라봤다. 엄마가 혹시 병원비 아깝다고 날 또 버리지는 않았을까 불미스런 생각이 후딱 스쳤다.

"다행히 엑스레이 결과로는 뼈엔 이상이 없군요."

"순 돌팔이, 먹은 것이 잘못됐는데 뼈는 무슨 뼈?"

엄마는 병원비를 5만 원이나 치르고 나서 타월에 보물을 싸듯 하여 꼭 끌어안고 집으로 왔다. 엄마에게 미안한 맘이 들었다. 여러 번 지갑을 열게 하는 것 같아서. 내가 배앓이를 하고 난 후로 누나 침대에서 자게 되는 영광을 얻었다. 그 전보다 달라진 것이 있다면 목욕을 자주 시켜 주었다. 나는 어떻게 하면 조금이나마 신세를 갚을 수 있을까 하고 여러 날 궁리했다. 그래서 생각해 낸 것이 낯선 사람이 집에 찾아오면 식구들에게 알리는 일을 해야겠다고 다짐했다.

# 새아빠의 눈총

잠을 자면서 꿈속에서도 소망을 이뤄 보려고 무진 애를 썼다. 크게 소리를 내 보았다. 아ㅇ-아d 어- 되네. 잠결에도 내 귀에 내 소리가 들렸다. 친구들과 형들이 내던 바로 이 소리였다.

"애들아, 아가가 잠꼬대 한다! 꿈속에서 고운 꿈 꾸나 봐." 누나와 형이 박수로 응원하는 소리가 고마웠다. '아, 이제 됐다 이렇게 하면 가족들이 좋아하는구나.' 그날부터 식구 이외의 사람이 방문해 오면 온 힘을 다해 씨근벌떡했다. 엄마가 이제 됐다! 할 때까지 이제부턴 놀고먹어도 떳떳하다.

"원래 걔네 조상이 한 혈통 하거든."

"정말, 그렇네요. 먹을 것을 주면 두 손으로 공손히 받을 줄 알아요."

"장난감을 몰래 숨겨도 잽싸게 찾아가지고 와요."

"동작이 어찌나 빠른지 조상이 사냥꾼 집안이 아니었을까요?"

형이 나를 높이 치켜세웠다. 이제 나도 철이 들어서 화장실 출입도 할 수 있다. 물도 내가 찾아 먹을 줄 아니 새엄마도 전보다 눈빛이 부드럽다. 그런데 이번엔 새아빠가 나를 괴롭

히기 시작했다.

"저런 녀석 키워서 무슨 효도를 보겠다는 거야. 고아원으로 도로 보내!"

아무도 없을 땐 문밖으로 내몰곤 했다. 새엄만 얼른 말을 받아, "버리려면 내나 줘요~" 하고 아빠 말에 진을 쳤다.

식사를 하던 분위기가 썰렁해지고 말았다. 나 때문에 평화로운 가정에 또 한 차례 분란이 일었다. 한 달 만에 겨우 찾은 안정인데, 언제 어디로 보내질지 모른다 생각하니 갑자기 슬퍼지기 시작했다.

우리 고향에선 나를 꽤나 알아주었건만 이젠 아니다. 누나와 형도 덩달아서 내게 눈길을 주지 않는다. 식탁 옆에 앉아 있어도 맛있는 참치 통조림을 주지 않는다. '이건 순전히 새 아빠의 눈총과 압력, 그 무서운 눈초리 때문이야.'

그 눈빛은 마치 레이저광선과도 같았다. 금방 불이라도 품어 나오듯 무시무시했다. 누나가 시집가는 날이라고 친척들이 모여들었다. 그중에서 난 막내 외삼촌을 가장 좋아한다. 딸들보다도 더 예뻐해 주니까. 내가 가지고 노는 딸랑이 공을 나보다 더 재밌게 가지고 놀면서 오래도록 놀아 주고 집으로 갔다.

누나가 매형을 처음으로 가족에게 소개하러 오던 날이 생생하다. 내가 반갑다고 환한 웃음을 보내도 매형은 날 벌레 보듯이 하며 거부했다. 또 다른 적이 하나 더 생겼다.

'어! 이상하다. 형만 빼고는 우리집 남자들은 나를 좋아하지 않는다. 그래서 결심했어! 조금 더 노력해야지. 그래서 귀염을 받아야지.'

그런 결심을 한 후부터 아빠가 싫어하는 건 일절 하지 않기로 했다. 대변, 소변 잘 가리기. 식탁 옆에 얌전히 있기, 옷에 오줌 안 묻히기, 외부 사람이 와도 낯가림 안 하기, 식구들 외출할 때 따라나서지 않기 등. 진작 이렇게 할걸.

## 드디어 사랑받게 되었어요

새아빠도 나를 예쁘다고 했다. 옛날처럼 자전거 꽁무니에 매달고서 뛰어오라고 하지 않았다. 산책 나갈 때 꼭 나를 대동하고 다니며 동네 친구들과도 잠깐씩 놀도록 배려해준다. 그러면서 친구는 아무나 사귀지 못하게 했다. 꼭 나와 같은 혈통이 분명한 여자애를 사귀어야 한다고 주의를 주었다.

누나가 시집가던 날 무지하게 슬펐지만 지금 와선 더 잘된 일이다. 작은 슬픔을 견뎌내니 큰 기쁨이 돌아왔다. 누나가 빠져나간 허전한 자릴 내가 들어서서 새아빠 새엄마를 기쁘게 해 준 덕이라 생각한다.

새엄만 오십견으로 어깨를 아파하면서도 주일마다 목욕을 시켰다. 그런 날밤엔 안방에 숨어 들어가서 자고 나오곤 한다. 엄마는 다 알면서도 아빠에게 들키지 않게 눈감아 줬다. 고기도 가위로 잘게 조각내어 밥에 비벼 주곤 하신다. 엄만 늘 가정형편이 어려워 학교엘 보내지 못하는 걸 마음 아파했다. 예방주사도, 회충약도 꼬박꼬박 챙겨 먹여 주신다.

형이 남산 밑에 있는 학교에서 늦게 와 30분씩이나 놀아 주고 잤다. 난 형이 벗어 놓은 양말을 가지고도 시간 가는 줄 모르고 잘 논다. 밤에 마루나 소파에서 잠든 나를 형은 번쩍 안고 방으로 들어가 친동생처럼 푹신한 팔베개를 해줬다.

매형도 주말마다 누나와 같이 와서 턱을 쓰다듬어 주었다. 맛있는 쥐포나 쫀드기를 사 들고 와 나눠 먹곤 했다. 엄마가 후식으로 벗겨 내놓은 감과 배가 제일 맛있다. 씹으면 아삭한 맛이 여간 개운한 게 아니다. 식구들은 먹성이 좋다고 한 쪽씩 서로 먹으려고 한다.

누나는 간식도 잘 사다 주지만, 미용실에 데려가 예쁜 꽃미남으로 만들어 줬다. 발톱도 다듬고 귀 청소로 마무리하여 향수까지 뿌려 준다. 그럴 때마다 매형과 조금씩 귀여운 다툼을 벌인다.

먼 동네에서 친구들 떠드는 소리가 나면, 참을 없이 나도 나가 놀고 싶다고 할 만큼 성장했다. 나의 설 자리가 안정되어 가고 있다. 새엄마의 은혜에 보답하려면 건강하게 날쌘돌이가 되어야 한다.

오늘도 식탁 한쪽에 얌전히 앉아 가족의 일원으로 대화의 장에 끼여 가정의 이런저런 일에 귀를 쫑긋거리며 날을 세워 본다.

"새엄마, 저를 용맹스럽게 키워준 은혜 잊지 않을게요."

춥다고 색색의 털옷 손수 짜서 입혀주니 내 모습 물찬 제비처럼 깔밋하다.

난 동물병원에서 입양돼 온 사내 강아지 '동재'랍니다. 일곱 살이나 된 걸요. 영국 황실 침대 위에서 귀염받던 요크셔테리어종이죠.

그렇게도 그악스럽기만 하던 새아빠의 눈총이 따갑지 않고, 온화해서 행복하기만 합니다. 겨우 아우러지게 살게 된 셈이죠.

"으르렁거릴 수 있게 뼈대를 키워주신, 극센 새아빠, 아이 러브유! 몸무게 3kg으로, 머리에 핀 꼽아주어 우미하게 키워준 새엄마 아이러브유!"

# 글을 마무리하며

　지구상에서 지극히 먼 길은 달나라 별나라가 아니라, 머리와 가슴 사이입니다. 즉 생각과 마음은 같이 움직여야 하거늘 그 길이 어찌나 먼지 모릅니다. 문학은 나와의 싸움인지라 나를 이겨 먹는 기쁨으로 살아가는 사람입니다. 내가 만든 감옥 속에 내가 갇혀 살아도 만족합니다.

　글은 기교로 쓰는 것이 아니라 가슴으로 써야 한다는 것을 터득했습니다. 스승님들께서는 귀에 딱지가 앉도록 책망을 하셨지만 역시 경험이 으뜸입니다. 쓰는 일이 숙명 같은 형벌이라서 삼십여 년이 되도록 뒤치락거립니다.

　한때는 쓰는 일이 어려워 그냥 쉬었습니다. 그랬더니 컴퓨터 인쇄기의 잉크가 굳어 움직거리지를 않았습니다.

그냥 사는 사람들이 부러웠으나, 안 쓰는 일이 더 큰 아픔이었습니다. 어순이나 어법을 잊어 또르르 말릴까 두려워, 다시 밭이랑을 뒤집어 파헤쳐 두엄을 뿌리고 두둑을 만들어 파종했습니다.

마음은 감성의 근본이 되고, 이 마음을 중요시하는 삶이니 평화로운 지름길입니다. 그저 열정은 식지 않은 것 같아 다행이라 생각합니다.

삼라만상이 움지럭거리는 사월로 왔습니다.

어리배기 수필 선별해 등단시켜주신 현대수필의 윤재천 교수님 감사합니다. 유창한 언어로 세상을 설파하시던 고故 김대규 선생님께 머리 조아립니다. 인생론적인 열강을 삼십여 년 동안 거르지 않고 듣게 해 주신 문향 선생님 예를 올립니다.

사십칠 년 전에 만난 인생의 반려자, 묵묵히 외조해 줌에 오늘의 내가 있다는 생각입니다.

'둔필승총鈍筆勝聰'이라고, 아무래도 머리로 기억하는 것보다 기록이 나을 것 같아 끼적거린 보람을 느낍니다. 책을 내는 기쁨보다 글을 즐기며 살 수 있음이 행복합니다.

달빛
한 스푼